Annette Wolter

La perruche ondulée

Bien la comprendre et bien la soigner

Les conseils d'un expert
pour votre animal favori

Illustrations :
Karin Heckel

D1316856

HACHETTE

Table des matières

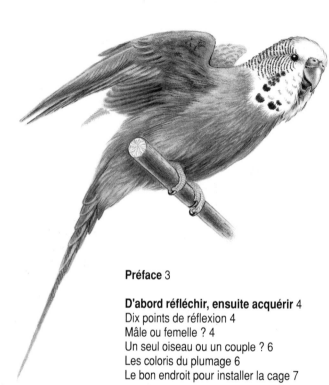

Préface

Etre en votre compagnie, c'est cela qui importe le plus à une perruche ondulée. Etre assise sur votre épaule, se faire caresser doucement et bavarder avec "son" maître - voila comment la vie peut se présenter avec elle à condition que vous ayez beaucoup de temps à lui consacrer. Si vous avez peu de temps, achetez plutôt deux ondulées. On ne s'ennuit jamais avec cet oiseau et ceci pendant plus de dix ans, l'âge qu'il peut atteindre si on s'en occupe correctement. Dans cet ouvrage la spécialiste des perruches ondulées Annette Wolter vous dit tout ce qu'il faut savoir. Elle explique clairement ce qu'il faut observer au moment de l'achat, à quoi doit correspondre la cage et les accessoires, comment nourrir une perruche ondulée et ce qu'il faut faire si elle tombe malade. En outre vous trouverez des conseils judicieux pour apprivoiser votre ondulée et un petit programme pour lui apprendre à parler. Les indications précises et faciles à suivre aident même les enfants à bien s'occuper de l'ondulée et à la comprendre. De merveilleuses photos en couleurs prises par des photographes amateurs d'oiseaux et possédant eux-mêmes des perruches ondulées ainsi que de nombreux dessins rendent une image vivante de ce petit perroquet australien qui a su nous conquérir. L'auteur et l'éditeur vous souhaitent beaucoup de joie en compagnie de votre perruche.

La compagnie est essentielle dans la vie d'une perruche ondulée. Isolé, ce petit perroquet dépérit à moins que l'homme prenne entièrement la place du compagnon. Si on a peu de temps, il vaudrait mieux acheter deux ondulées.

Veuillez tenir compte des "Remarques importantes" de la page 63 !

D'abord réfléchir, ensuite acquérir

Si vous désirez une perruche ondulée comme compagnon familial et ami joyeux, vous devriez prendre en considération que ce petit oiseau intelligent attend de vous un certain nombre de choses en retour et ceci durant toute sa vie, à savoir l'affection et la compagnie, la possibilité de voler en liberté, des branches pour grimper et se faire le bec, des jouets à jeter par terre, quelqu'un pour les ramasser et ainsi de suite. Pour éviter des problèmes éventuels par la suite, voici quelques questions à vous poser avant de prendre une décision.

Dix points de réflexion
1 - Une perruche ondulée vit entre 12 et 14 ans. Etes-vous prêt à être responsable d'elle toute sa vie ?
2 - Avez-vous un endroit adéquat pour installer la cage ?
3 - Quelle serait votre réaction, si votre perruche ondulée restait peureuse et n'apprenait pas à parler ?
4 - Avez-vous assez de temps à lui consacrer ?
5 - Qui jouera, sifflera avec elle pour qu'elle ne dépérisse pas ?
6 - Que ferez-vous si vous partez en vacances ou si vous êtes hospitalisé ?
7 - D'autres animaux domestiques vivent-ils chez vous qui ne s'entendront peut-être pas avec elle ? On peut faire comprendre à un chien qu'il ne faut pas toucher à l'oiseau, ce n'est pas aussi simple avec un chat.

8 - Désirez-vous l'offrir à votre enfant ? Même dans ce cas, vous devrez être disponible.
9 - Etes-vous sûr que personne de votre famille n'est allergique aux plumes ?
10 - Pensez que l'oiseau coûte de l'argent, surtout s'il a besoin d'aide médicale.

Mâle ou femelle ?
La décision de prendre un mâle ou une femelle n'a aucune importance. De toute manière, seul le spécialiste peut déterminer de façon assez sûre le sexe d'un jeune oiseau. Chez les ondulées adultes on reconnaît le mâle à la couleur bleue de la cire - peau à la base du bec - tandis que toutes les femelles ont une cire marron/beige. Ce signe distinctif a disparu dans certaines espèces de coloris particuliers. Dans ces élevages, les mâles ont également une cire beige. Mais si l'oiseau est jeune, en bonne santé et gai, le sexe n'est vraiment pas important, car :
Il n'est pas vrai que seuls les mâles peuvent être apprivoisés et peut-être apprendre à parler.
Cependant il est vrai que les femelles ont un besoin plus fort de faire travailler leur bec et de décortiquer. A l'état sauvage ce sont précisément elles qui façonnent l'ouverture et le fond du nid dans un arbre creux.

Une perruche ondulée n'est pas uniquement un bel oiseau, mais également un prodige de pétulance, de vie et de tendresse. Aidez-la à s'épanouir par un cadre de vie et un environnement appropriés.

4

A deux, on s'étire mieux.

Un seul oiseau ou un couple ?

La plupart des gens désirent une seule perruche ondulée et espèrent qu'elle sera confiante, apprivoisée, joueuse et curieuse, qu'elle apprendra à parler et sera heureuse dans le cadre familial. Mais l'ondulée est, par nature, un oiseau grégaire, attaché à la compagnie de ses semblables et plus particulièrement à celle de son compagnon à vie. En cage, elle peut être heureuse à une seule condition : c'est qu'elle puisse s'attacher très fortement à une personne, son compagnon de substitution. Ceci suppose que non seulement cette personne devrait être presque constamment présente, mais également beaucoup câliner, jouer, parler et siffler avec l'oiseau. Même si toutes ces conditions sont réunies, je reste d'avis qu'une perruche ondulée vivant isolée de ses semblables n'est pas une perruche épanouie. Jamais elle ne pourra pleinement assouvir son besoin naturel de compagnie. Jamais elle n'aura l'occasion d'accomplir le rituel précédant une liaison à vie avec un compagnon de son choix. Avant d'acheter un seul oiseau vous devriez longuement réfléchir à tout ceci. La personne qui est souvent absente, qui a de nombreuses obligations professionnelles ou familiales, serait plus satisfaite et rendrait surtout les oiseaux bien plus heureux, si elle décidait d'acquérir un couple. Le couple peut très bien se composer de deux oiseaux de même sexe dont l'un prendra plus tard la place du sexe manquant. Vous pourrez alors observer le rituel complexe et varié de deux perruches ondulées vivant en parfaite harmonie. Cette relation amoureuse a d'autant plus d'attraits qu'il s'agit d'un mâle et d'une femelle qui s'accoupleront peut-être un jour. Il peut y avoir une nichée et un chapitre entier y est consacré (voir page 47).

Les coloris du plumage

Les ondulées sauvages d'Australie ont toutes un plumage vert clair, la tête et le front étant jaunes. Cette partie, appelée le masque, s'étend de la tête jusqu'à la poitrine et se termine par six taches noires. Les joues portent des plumes (moustache) de couleur bleue/violette qui ont été préservées lors de nombreuses sélections. Des plumes bordées de noir ou de jaune à leur extrémité donnent le dessin ondulé à l'arrière de la tête, sur le dos et les couvertures alaires. Le bec est de couleur beige. *La couleur de la perruche ondulée*

Se bécoter tendrement est le début d'un mariage ou d'une amitié qui durera toute une vie.

sauvage est rare chez les oiseaux domestiques : on trouve surtout les coloris vert olive, vert foncé, bleu ciel, bleu foncé, violet, gris, jaune, blanc et des mélanges comme ailes claires et ailes blanches. Les éleveurs ont sélectionné certaines espèces. Les oiseaux dont l'ondulation sur le dos est interrompue en forme de V sont appelés *Opalines*. Les *Lutinos* sont jaunes avec des yeux noirs ou rouges, *les Albinos* blancs aux yeux rouges. Il existe en outre des sélections comme les perruches ondulées à huppe, sorte de tête de Beatle, ou les ondulées à toupet qui ressemblent à un plumeau : pour moi, il s'agit là d'une insulte à la création. *Mon conseil :* les sélections qui se sont le plus éloignées de la race primitive sont également les plus sujettes aux maladies. Cette information vous guidera peut-être dans votre choix.

Le bon endroit pour la cage

Pour la perruche ondulée domestique, la cage représente le refuge, l'endroit ou elle se sent en sécurité. Elle constitue son territoire où même la personne qui lui est la plus familière ne devrait pas la déranger sans raison. Dans sa cage, l'ondulée peut se reposer, se remettre d'une frayeur, se nourrir et dormir en toute tranquillité. Pour cela la cage doit avoir un endroit fixe.
Le meilleur endroit : c'est le séjour où la perruche ondulée voit toute la famille le plus fréquemment. Il faudrait poser la cage dans un endroit près de la fenêtre sur une planche solide, à hauteur de votre tête pour que

l'oiseau puisse contempler votre visage, ce qu'il adore faire.
Très important : la cage doit obligatoirement être installée à l'abri des courants d'air. Les ondulées

Soulever les deux ailes veut dire en langage perruche : "Chic, tu es revenu" ou l'oiseau rend simplement un peu de la chaleur de son corps.

exposées aux courants d'air tombent malades. Vous pouvez vérifier l'existence de courants d'air à l'aide d'une bougie allumée.
Les endroits non appropriés :
● Juste devant la fenêtre : il y fait trop froid en hiver, trop chaud en été.
● La cuisine : tout y est dangereux - vapeurs nocives, plaques électriques brûlantes, casseroles et récipients remplis de liquide froid ou chaud, lessives, produits d'entretien et autres produits toxiques pour l'oiseau ; et beaucoup trop de courants d'air.
● La chambre des enfants : l'oiseau s'y ennuie quand les enfants sont à l'école ou sortis, quand les enfants font leur devoir ou vont se coucher.

Des variations de coloris appréciées. Le coloris initial du plumage est vert clair avec une tête jaune et des ondulations typiques noires et jaunes à l'arrière de la tête, sur le dos et les ailes. Tous les autres coloris ont été obtenus par sélection.

Conseil pour l'achat d'un oiseau

Où trouver des perruches ondulées ?

L'animalerie spécialisée (ou l'oisellerie) offre un choix important de perruches ondulées de tous les coloris. Vous y trouverez également tous les accessoires.

Les éleveurs vendent des perruches ondulées aux particuliers. Les sociétés d'éleveurs (chercher dans l'annuaire) vous communiqueront les adresses ; parfois vous les trouverez aussi dans les refuges ou pensions pour animaux.

Mon conseil : prenez le temps d'observer les ondulées présentées. Il y en aura peut-être une qui vous plaira tout particulièrement parce qu'elle passe son temps à jouer et à faire des acrobaties, qu'elle vous regarde avec curiosité, que vous aimez le coloris de son plumage, etc.

Ce qui est important

L'âge de l'oiseau au moment de l'achat : la perruche ondulée doit être jeune, âgée de cinq semaines environ. A cet âge-là elle s'habituera plus rapidement à l'homme et à un nouvel environnement. Elle doit être en bonne santé afin que vous en profitiez pleinement et trouviez en elle une compagne intelligente.

Comment reconnaître un perruchon :
● Il a deux grands yeux ronds et noirs autour desquels on ne voit pas encore l'iris blanc.

● L'ondulation s'étend encore sur toute la tête jusqu'à la cire qui ne prend sa couleur bleue chez le mâle qu'après la première mue.

L'apparence d'une perruche en bonne santé
● Toutes les plumes sont développées, lisses et brillantes.
● Les plumes autour du cloaque - l'anus de l'oiseau - ne sont ni collées ni souillées par les excréments.
● Les yeux et les narines n'ont ni écoulement ni croûtes.
● Les pellicules cornées (écailles) aux pattes et aux doigts sont lisses.
● Deux ongles de la patte se courbent en arrière, deux en avant. Il ne doit en manquer aucun.
● L'oiseau sautille avec vivacité, se nettoie avec zèle et est très sociable.

Une perruche malade est assise à l'écart, apathique, les plumes ébouriffées, les yeux mi-clos, le bec caché dans les plumes dorsales. Cependant si vous voyez un oiseau dans cette position, regardez attentivement : peut-être est-il seulement endormi.

La cage

La cage doit être assez grande pour permettre à l'oiseau de déployer ses ailes et de faire quelques battements. Même si vous prenez la bonne résolution de garder la porte de la cage très souvent ouverte, la perruche doit pouvoir y rester

La clochette est indispensable pour beaucoup de perruches ondulées. Elle aide à passer le temps quand l'oiseau doit rester un peu seul.

plusieurs heures enfermée ne serait-ce que pour sa propre sécurité (au moment d'aérer, de faire le ménage, de fêtes familiales).

Mon conseil : achetez la cage assez à l'avance pour que tout soit prêt à l'arrivée de l'oiseau.

Des supports pour cage de taille et forme variables sont proposés dans les magasins spécialisés. Ils sont en métal, équipés d'un pied assez lourd. A l'aide de ce support auquel on accroche la cage, un changement d'endroit est parfois envisageable.

Remarque : comme le pied peut se dévisser et compromettre dangereusement la stabilité, il faut le vérifier régulièrement et le resserrer en cas de besoin. De même le fond

de la cage peut se détacher d'un seul coup, les crochets qui le maintiennent ne serrent souvent que très médiocrement. Pour plus de sécurité servez-vous d'un large élastique.

La cage :
Dimensions idéales : longueur 100 cm, largeur 50 cm et hauteur 80 cm. Dimensions minimales : 50 x 30 x 45 cm.
Les barreaux : horizontaux pour permettre à l'oiseau de grimper.
Les perchoirs : en bois, de diamètre variable (12 et 22 mm). L'oiseau ne doit pas pouvoir en faire le tour avec ses ongles.
Fond : en matière plastique.
Plateau : pour retirer et remettre le sable coquillier.
Mangeoires : deux, l'une pour les graines, l'autre pour l'eau.
Balançoire : la plupart du temps elle est fournie avec la cage.

Mon conseil : aux perchoirs fournis, préférez dès le départ des tiges en bois naturel de diamètre variable (12 et 22 mm). Espèces de bois, voir arbre à oiseaux page 20 à 22. Elles permettent à l'oiseau de se donner de l'exercice et de se faire le bec.

Une cage aux dimensions minimales peut servir uniquement pour manger et dormir. Pour vivre, l'oiseau a alors besoin d'une aire de jeux : l'arbre.

Les soi-disantes volières d'intérieur que l'on trouve dans les magasins conviennent à un couple et à des couvées éventuelles, mais sont insuffisantes comme espace de vol.

Mon conseil : quelle que soit la taille de la cage, l'oiseau a de toute manière besoin de voler librement chaque jour (voir page 19).

Dans le miroir, la perruche ondulée contemple selon ses états d'âme le compagnon ou bien le rival et y trouve la consolation pendant ses heures de solitude.

Mâles ou femelles, cette question n'a en fait aucune importance. Les deux deviennent familiers et apprennent à parler. Un couple peut très bien se composer de deux oiseaux de même sexe. L'un d'eux prendra plus tard la place du sexe manquant.

Les perruches ondulées sont des volatiles adroits...

et rapides.

La bague

Chaque perruche baguée est issue d'un élevage légal et enregistré. Vous devriez examiner souvent la patte baguée, de nombreux accidents s'étant déjà produits. L'oiseau peut rester accroché à cause de la bague et se blesser en tirant dessus. Si la patte enfle, la bague entrave la circulation sanguine. Dans ce cas il faut la faire enlever par un oiselier ou un vétérinaire et vous la conserverez précieusement. C'est un document important qui prouve l'origine de votre oiseau.

Ce dont l'oiseau a encore besoin

Avant de vous rendre dans une oisellerie ou dans un élevage, notez tout ce que vous désirez acheter.

Liste

● Mélange de graines, de préférence celui auquel il est déjà habitué.
● Grappes de millet. C'est une friandise et en même temps un aliment très nutritif (voir page 38, Ce qui enrichit la nourriture).
● Bloc minéral ou os de seiche. Veillez à l'inscription "riche en calcium et sels minéraux pour la fortification de l'ossature et la formation des plumes".
● Baignoire. On l'accroche dans l'ouverture de la cage. Elle doit avoir un fond rainuré pour empêcher l'oiseau de glisser.
● Charbon animalier. Au cas où le transport et le changement d'environnement provoquent une légère diarrhée, soupoudrez-en un peu les graines.
● Une à deux mangeoires supplémentaires à accrocher au grillage de la cage pour les fruits, légumes et graines germées.
● Distributeur d'eau. L'eau est moins souillée dans un distributeur que dans une buvette.
● Des jouets comme un petit miroir et une clochette à accrocher à l'intérieur de la cage. La perruche ondulée se console ainsi de la séparation de ses semblables.
● Sable coquillier ou gravier de fond de cage. Il est aussi indispensable à l'hygiène qu'à la santé (voir page 31).

Un perchoir
suspendu :
endroit séduisant
pour se poser. On
peut acheter une
telle balançoire
en bois dans un
magasin
spécialisé. La
perruche ondulée
s'y installe
volontiers après
avoir volé
longuement.

Comme cela balance et tinte lorsqu'on s'y pose !

Acclimatation en douceur

L e nouveau compagnon a besoin de temps pour s'habituer au foyer inconnu. Ne perdez pas patience si votre ondulée met des semaines à se débarrasser de sa crainte et à répondre à vos tentatives d'approche.

Le nouveau foyer

Ramenez à la maison votre perruche ondulée, installée dans une boîte de transport et bien protégée contre le froid, l'humidité et la chaleur, par le chemin le plus court. L'oiseau doit s'habituer le plus rapidement possible à son nouveau foyer, surmonter la séparation d'avec ses semblables ainsi que la peur que lui inspire le nouvel environnement et accepter les personnes de son entourage comme compagnie. Son univers sera d'abord la cage ; c'est pourquoi il faut la préparer avant l'acquisition de l'oiseau.

Equiper la cage avec bon sens

● Enlever les perchoirs en plastique. Les remplacer par des tiges en bois

L'oiseau ne doit pas pouvoir faire le tour complet de son perchoir avec ses ongles.

coupées à la longueur voulue, fendue à chaque extrémité pour pouvoir les glisser entre les barreaux de la cage ou les fixer à l'aide de raphia.
● Ne pas en mettre plus qu'il n'y en avait à l'origine.
● Installer trois tiges horizontalement et une ou deux un peu inclinées. Dans

la nature, les oiseaux ne trouvent pas uniquement des branches bien horizontales.
● Mettre environ 1 cm d'épaisseur de sable coquillier dans le plateau.
● Remplir une mangeoire avec un mélange de graines, l'autre avec de l'eau et la troisième avec des morceaux de pommes épluchées et des carottes râpées.
● Accrocher une grappe de millet près d'un perchoir. Utiliser une pince à linge ou une pince spéciale vendue en magasin spécialisé.
● Accrocher la clochette au-dessus d'un des perchoirs supérieurs et fixer le miroir de telle manière que l'oiseau assis sur un perchoir puisse s'y voir. *Mon conseil* : ayez toujours du fil ou du raphia en réserve car l'oiseau le déchiquètera et il faudra le remplacer.

Les premières heures à la maison

Si vous tenez la boîte qui a servi au transport de l'oiseau contre la cage ouverte, votre perruche ondulée préférera tout de suite la lumière de la cage à la boîte sombre.
Important : refermez tout de suite la cage et éloignez-vous. Dans les heures qui suivent, ne mettez pas la main à l'intérieur de la cage et laissez à votre ondulée le temps d'observer son nouvel environnement en toute tranquillité. Cependant restez dans la pièce et parlez-lui. Répétez souvent le nom que vous lui avez choisi. Vous

remarquerez que rapidement elle y réagira soit par un bruit, soit par un mouvement. Si elle mange ensuite un peu de graines, elle aura surmonté le premier choc.

Le sommeil est important

Le sommeil se manifeste le soir au moment ou vous baissez la lumière et le son de votre téléviseur. La télévision ne dérange guère votre perruche ondulée, si la cage n'est pas installée juste en face de l'écran. Couvrez la cage éventuellement avec un linge. L'oiseau gazouillera peut-être encore un peu, mais bientôt il s'endormira. Pendant les premières nuits, laissez-lui une veilleuse. Si l'oiseau est effrayé par des bruits inconnus, il peut paniquer et battre violemment des ailes. Il se calmera en reconnaissant son environnement. *La place pour dormir :* une fois que la perruche ondulée s'est bien habituée, elle choisira toujours la même place pour dormir, peut-être sur la balançoire, dans un coin bien précis de la cage ou même accrochée au grillage près de la clochette.

Favoriser la confiance

La perruche ondulée est très peureuse et il y a énormément de choses qui peuvent effrayer un tout petit oiseau. Au cours des premières semaines chez vous, essayez de lui éviter de faire des expériences traumatisantes. Plus elle se sentira en confiance dans son nouveau foyer, plus elle sera capable par la suite de surmonter des frayeurs inévitables. L'oiseau prendra confiance.
● Si vous lui parlez calmement pendant le nettoyage quotidien de la cage et à chaque fois que vous passez près de lui. Appelez-le souvent par son nom, félicitez-le et chantez-lui toujours la même chanson. Votre voix et son intonation lui inspirent confiance.

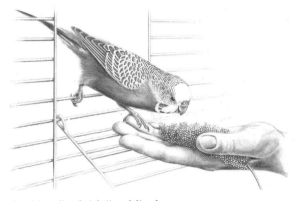

La friandise lui fait oublier la peur instinctive de la main. Si l'oiseau pose une patte sur votre doigt, vous avez presque gagné.

● Si vous évitez tout mouvement brusque.
● Si vous faites les mêmes tâches quotidiennes à heure fixe.
● Ne vous effrayez pas si l'oiseau essaie de vous donner un coup de bec. Il n'aura pas le courage de vous faire vraiment mal.
Ce qui est effrayant pour une perruche ondulée
Les perruches ondulées ont le sens de la tradition et se méfient de tout changement. Ceci concerne les objets dans la cage, l'environnement et même votre apparence. Donc ne déplacez pas les mangeoires, n'installez pas de jouets inconnus et

Une cage spacieuse - refuge sécurisant pour une ou plusieurs ondulées.

ne vous approchez pas avec des bigoudis ou un chapeau noir sur la tête. L'ondulée considère également votre main comme un danger, voire une menace pour sa vie. Tout doucement elle s'y habituera, si elle n'est jamais effrayée par elle. Evitez donc absolument de l'attraper avec la main, car tous les oiseaux en éprouvent une peur mortelle. Seul l'oiseau apprivoisé et très attaché à vous peut exceptionnellement être pris.

Comment accoutumer l'oiseau à des nouveautés : on doit habituer une perruche ondulée d'abord à toute nouveauté, même s'il s'agit de détails insignifiants. Un morceau de fruits ou de légumes inconnus peut lui être présenté en vain pendant des jours avant qu'elle n'ose y goûter. Une nouvelle lampe par exemple doit, dans un premier temps, être installée loin d'elle. Chaque jour on l'approchera un peu plus de la cage jusqu'à ce que l'oiseau l'accepte dans son entourage. Vous devriez accompagner de la même phrase tous vos gestes susceptibles d'effrayer l'oiseau ainsi que les bruits insolites comme passer l'aspirateur, se moucher. Ainsi je disais à mon petit trouillard Manky avant de passer aux actes : "Excuse-moi, je dois me moucher le nez." Bientôt il suffisait que je prenne un mouchoir pour que Manky commentât ce geste aussitôt de cette phrase.

Beaucoup de patience et des grappes de millet.

Habituer à la main
Une fois que la perruche ondulée s'est habituée à son nouveau foyer, a perdu sa frayeur des premiers jours et est déjà un peu apprivoisée grâce à vos soins quotidiens, vous pouvez commencer à l'accoutumer à votre main.

1re étape : ne fixez plus la grappe de millet à la cage, mais tenez-la dans votre main. Au début l'oiseau n'osera certainement pas s'en approcher et y jettera juste un bref coup d'œil.

2e étape : le deuxième jour il tentera peut-être, à une certaine distance et en faisant le long cou, d'attraper quelques graines. Mais vos tentatives peuvent aussi bien rester sans succès pendant plusieurs jours. A un moment donné, votre oiseau aura assez de courage pour tenter "sa chance". Vous devez seulement refaire les mêmes gestes quotidiennement à la même heure avec patience et sérénité. Votre main lui sera bientôt aussi familière que la grappe de millet et un matin il y posera une patte, l'autre restant encore prudemment

Dans l'eau jusqu'au ventre.

accrochée au perchoir.

3e étape : ne perdez pas patience et finalement l'oiseau acceptera la main entière comme perchoir et ne viendra pas uniquement pour manger. Il y prendra place pour sortir et retourner dans sa cage.

Mon conseil : présentez toujours le dos de la main, la paume faisant souvent peur aux oiseaux.

A éviter absolument : prendre l'oiseau sans y être obligé et pire encore l'attraper en plein vol. Il n'y a rien de pire pour cette petite bête et ce geste peut compromettre la confiance déjà acquise (voir page 15, Ce qui est effrayant pour une perruche ondulée).

Habituer au bain

Si vous voyez un jour votre perruche ondulée tourner autour du distributeur d'eau, le bécoter ou essayer de se glisser dans la buvette, elle vous indique son envie de prendre un bain. Vous remplirez alors la baignoire avec 2 cm d'eau tiède et l'accrocherez dans l'ouverture de la cage. Si son envie de prendre un bain est plus forte que sa peur, l'oiseau s'installera au bord et boira quelques gouttes.

Le bain complet : tremblant légèrement, la perruche y entre jusqu'au ventre et essaie de baigner l'une après l'autre les ailes déployées. Malheureusement, la baignoire est trop petite pour ce bain complet. Pour qu'il puisse au moins plonger une aile dans l'eau, vous lui installerez, une fois qu'il sera bien apprivoisé, un grand dessous de pot de fleurs rempli d'eau. En attendant, la petite baignoire fera l'affaire.

La trempette : si l'oiseau malgré son envie manifeste n'ose pas entrer dans la baignoire, accrochez-la tous les jours pour qu'il s'y habitue. Vous pouvez en tapisser le fond avec des feuilles lavées et humides de persil, pissenlit, mouron blanc ou épinards. Beaucoup de perruches ondulées préfèrent cette "trempette". N'oubliez pas que ce sont des oiseaux vivant habituellement dans la savane australienne et prenant leur bain le matin dans l'herbe mouillée par la

Vous devez habituer doucement votre ondulée à la baignoire. Accrochez-la régulièrement dans l'ouverture de la cage remplie d'eau ou tapissée d'herbes humides.

rosée, en cherchant leur nourriture.
Mon conseil : ne mettez pas des feuilles de laitue traitées avec un insecticide ou un pesticide. Ces produits se dissolvent dans l'eau et peuvent être nocifs pour l'oiseau.
La douche : si votre perruche ondulée persiste à ne pas vouloir entrer dans la baignoire, vous pouvez essayer de la mouiller avec un vaporisateur. Il ne s'agit pas de la tremper, mais juste lui mouiller les plumes. Si cette douche lui plaît, elle se tournera dans tous les sens pour exposer toutes les parties de son corps aux gouttes d'eau. En revanche si elle s'enfuit affolée, attendez qu'elle manifeste à nouveau l'envie de prendre un bain et représentez-lui la baignoire et la douchette. N'abandonnez surtout pas après quelques tentatives infructueuses, rappelez-vous que les perruches ondulées mettent du temps à s'habituer à toute nouveauté.
Important : le vaporisateur ne doit jamais avoir servi à traiter vos plantes avec un produit quelconque.

Un grand dessous de pot de fleurs offre la place suffisante pour plonger les ailes dans l'eau. L'oiseau le préfèrera certainement à la baignoire que l'on peut accrocher dans l'ouverture de la cage.

La vie avec une perruche ondulée

Pendant le temps de l'acclimatation, n'ayez surtout pas l'impression d'être obligé de vous déplacer désormais sur la pointe des pieds. Ces précautions ne concernent que les premiers jours et durent éventuellement deux à trois semaines selon le tempérament de l'oiseau. Les premiers succès apparaissent déjà pendant cette période. Votre perruche ondulée vous surprendra un matin en vous manifestant sa joie de vous voir. Elle secouera son plumage et répondra à vos appels et vos sifflements par un joyeux gazouillis ou jouera avec sa clochette. Ces réactions vous indiquent que votre perruche ondulée est prête à explorer davantage son nouveau foyer et à élargir son espace vital. Le vol à travers la pièce lui offre ces possibilités. Pour éviter des incidents malheureux pour votre oiseau et vous épargner une surveillance constante lors de ces moments de liberté, j'aimerais vous donner quelques conseils de ma longue expérience.

Voler sans danger

La perruche ondulée apprend rapidement à connaître son nouvel environnement, si elle a la possibilité de voler beaucoup et souvent. Sa confiance en est réconfortée et voler la maintient en bonne santé. Avant d'ouvrir la porte de la cage, fermez toutes les portes et fenêtres et tirez les rideaux. L'oiseau ne reconnaît pas la limite de la vitre et s'y cognerait avec violence. Si vous n'avez pas de rideaux aux fenêtres, baissez les stores ou fermez les volets, au besoin allumez la lumière. Chaque jour vous relèverez les stores un peu plus. Cet apprentissage ne dure que quelques jours.

Une perruche ondulée est si souple qu'elle peut atteindre toutes les parties de son corps pour nettoyer son plumage.

Le premier vol

Ne vous inquiétez pas si l'oiseau regarde fixement l'ouverture de sa cage et ne se précipite pas vers la liberté. N'oubliez pas qu'il n'a probablement jamais volé, la couveuse étant trop étroite et la volière lui permettant juste de voleter. *Laissez-lui le temps :* à un moment donné, il ne pourra plus résister à la

Les ondulées très apprivoisées et profondément attachées à "leur" compagnon humain restent pendant des heures perchées sur son épaule, observant avec curiosité tout ce qu'il fait. Elles apprécient particulièrement que l'on bavarde longuement avec elles.

Jeux de perruches ondulées : tirer sur le napperon...

picorer des graines dans une coupe...

tentation de franchir la porte ouverte. Il grimpera alors sur le toit de la cage et bientôt l'envie de voler l'emportera sur la peur et il prendra son envol. Manœuvre d'atterrissage : le vol ne posera certainement aucun problème. Il n'en va pas de même avec l'atterrissage. D'abord parce que l'oiseau ne s'est jamais exercé, ensuite parce que la pièce et les objets inconnus lui font peur. Avec de la chance, il réussira à se poser sur sa cage. Dans ce cas à lui de choisir s'il ose faire un nouveau tour ou s'il préfère la sécurité de la cage. *Comment attirer l'oiseau pour retrouver sa cage :* s'il atterrit sur le sol, vous éparpillez quelques graines par terre, les perruches ondulées adorant y chercher la nourriture. Si au bout d'un certain temps vous posez la cage à côte de votre oiseau, il y grimpera certainement. Mais si jamais il se pose sur l'armoire, la lampe ou la tringle à rideaux, le retour vers la cage lui demandera du courage. Plus

l'endroit atteint est élevé, plus il se sent en sécurité, ce sentiment est inné. Et on lui demande d'abandonner ce refuge ? Cela lui coûte et dure un certain temps. Parlez-lui et essayez de l'attirer avec une grappe de millet. En cas d'échec amenez-lui la cage ouverte au bout de trente minutes environ. Il sera peut-être soulagé de pouvoir s'y réfugier. Sinon laissez-le où il est. Le retour à la cage se fera plus tard et parfois seulement le lendemain.
A éviter absolument : chasser l'oiseau, se servir peut-être même d'un linge. Ce geste réduirait à néant toute confiance déjà acquise.

L'arbre à oiseaux
Lorsque ma première perruche ondulée avait découvert qu'il était bien plus amusant de se promener en dehors de la cage, elle passait presque toute sa journée en liberté. De temps en temps elle volait à travers la pièce, se posait à chaque

...faire tinter la clochette.

fois sur sa cage et m'observait attentivement pendant mon travail. A chaque fois que je quittais la pièce, elle se réfugiait dans mon tilleul d'appartement. Les branches étant trop fragiles pour supporter son poids, j'y ai fixé du bois naturel et ma plante est devenue ainsi son endroit préféré. Mais le tilleul n'a pas survécu bien longtemps dès qu'une seconde perruche ondulée s'est jointe à nous, car les oiseaux sectionnaient les branches avec leur bec et regardaient avec enchantement les feuilles tomber. J'ai donc acheté un grand bac et fabriqué mon premier arbre à oiseaux qui, installé au beau milieu de mon bureau, est devenu l'endroit préféré de mes oiseaux. Les branches, et le raphia qui les reliaient entre elles, devaient bien entendu être renouvelés de temps en temps, mais le plaisir manifeste de mes oiseaux quand ils goûtaient aux branches fraîches, me récompensaient largement de ma peine.

Utilisez des branches non toxiques : l'idéal est de prendre des branches provenant d'arbres fruitiers à condition de ne pas avoir été traités avec des insecticides. En cas de doute, prenez d'autres rameaux comme par exemple ceux du chêne, de l'aune, du sureau, du châtaignier, du tilleul, du peuplier ou du saule. Mais là encore prenez vos précautions et n'utilisez pas du bois provenant d'arbres plantés dans les rues. Leur branchage est pollué par les gaz d'échappement qui imprègnent profondément le bois. Le bois en provenance de parcs et forêts doit être lavé à l'eau chaude et séché avant utilisation.

Fabrication de l'arbre
● Mettre au fond d'une grande jardinière de grosses pierres pour assurer la stabilité.
● Y placer un pot plus petit contenant une plante grimpante *non toxique*.
● Fixer avec du fil de fer trois ou quatre branches en bois ou tiges de

Photos ci-dessus : une modeste perruche peut grandement trouver à s'occuper dans votre maison. Mais faites attention à ce qu'elle ne grignote pas n'importe quoi !

Mettre des plantes vertes dans un arbre à oiseaux est conseillé pour deux ondulées qui ne sont pas encore habituées l'une à l'autre. Elles permettent aux oiseaux de se cacher tant qu'ils ne sont pas encore amis.

bambou (longueur 2 m, épaisseur 3 cm environ) autour du petit pot.
● Combler l'espace entre les deux pots avec de la terre et ajouter à la fin une couche de sable coquillier.
● Relier les branches verticales avec

En dehors de la cage, les oiseaux domestiques ont besoin d'un endroit à eux. Un arbre à oiseaux peut devenir leur endroit favori.

des rameaux de 12 à 22 mm de diamètre en les disposant en "étages". Utiliser du raphia et ne pas fixer tous les rameaux horizontalement. Les incliner un peu. L'oiseau aime grimper.
● Accrocher une clochette, un miroir à hauteur des yeux de la perruche ondulée, de préférence près d'une fourche, l'endroit favori de l'oiseau.
● Renouveler les branches et les fixations régulièrement.
Mon conseil : ne pas laisser dépasser

les branches par-dessus le bord du pot. Ainsi les fientes tomberont dans le sable et non par terre.

Où installer cet arbre ?

Bien évidemment il faut lui trouver une place fixe de préférence loin de la cage. Vous obligerez ainsi votre oiseau à faire quotidiennement des allers et retours. Tant qu'il est jeune et plein de vie, il n'a pas trop besoin d'être stimulé, mais dès qu'il sera plus âgé et plus paresseux, ce petit trajet lui fera le plus grand bien. Il est bien entendu que la nourriture et l'eau resteront dans la cage. Posez votre arbre près de la fenêtre. Votre perruche ondulée peut ainsi bénéficier de la lumière du jour.

Un cadre de vie sûr

Le propriétaire d'un oiseau domestique ne réussira certainement jamais à supprimer tous les dangers guettant son oiseau. Combien de fois j'ai pu observer que ces petits oiseaux agiles découvrent des attraits dans leur entourage dont nous ne soupçonnons même pas l'existence. Ainsi Clowny, une ondulée femelle qui était d'humeur à couver, a essayé un jour de se glisser dans une fente large de 3 cm entre le plafond et le plafonnier. L'extérieur de la lampe était certes en verre poli, mais l'intérieur était coupant. Clowny, les pattes en sang, a pu être libérée, mais continua malgré tout ses tentatives jusqu'à ce qu'on bouche la fente. Une autre expérience m'a aidée dans ma recherche pour rendre la pièce plus sûre pour les oiseaux : en rentrant chez moi, j'ai trouvé tous mes oiseaux

Les dangers qui guettent la perruche ondulée

Les dangers

Eviter les dangers

Salle de bain : s'envoler par la fenêtre, se noyer dans la cuvette des WC.

Garder la porte de la salle de bain fermée. L'oiseau n'y entrera qu'avec vous.

Etagères de livres : l'oiseau se glisse derrière les livres et ne peut en sortir.

Pousser les livres contre le mur ou coucher deux livres horizontalement à intervalles réguliers.

Sur le sol : on peut lui marcher dessus.

Etre toujours très prudent.

Récipients contenant de l'eau : l'oiseau glisse dans un seau, une coupe, un grand verre ou un vase et se noie (la mousse savonneuse est considérée comme une piste d'atterrissage).

Couvrir les récipients, enfermer l'oiseau pendant le ménage

Armoires et tiroirs ouverts : l'oiseau est enfermé par mégarde et meurt asphyxié ou de faim.

Ne jamais les laisser ouverts, même pas entrebâillés.

Poisons : empoisonnement mortel possible avec alcool, mine de crayon, feutre et stylo à bille, épices, colle, laque, produits d'entretien, engrais chimiques, plastique transparent, mercure, aérosols, lessives, fumée de cigarettes abondante.

Maintenir tous les objets et substances cités hors de la portée de l'oiseau. Nettoyer toute trace de produit.

Plaques de cuisinière : brûlure mortelle si l'oiseau se pose dessus.

Mettre une casserole d'eau froide sur une plaque encore chaude. Ne jamais laisser l'oiseau seul dans la cuisine

Bougie allumée : brûlure mortelle si l'oiseau vole à travers la flamme.

Eviter les bougies quand votre oiseau n'est pas dans sa cage.

Corbeille à papier, objets décoratifs : l'oiseau s'y glisse, meurt de faim, de peur ou d'une crise cardiaque.

Utiliser des corbeilles en osier, remplir les objets décoratifs de sable.

Soleil, voiture surchauffée : arrêt du cœur par coup de chaleur.

Chercher une place à l'ombre, aérer la voiture.

Chaudières, appareils de chauffage : brûlures mortelles.

Installer ces appareils à l'abri de l'oiseau.

Changement de température : refroidissement ou coup de chaleur.

Habituer l'oiseau à des températures entre 5° et 25°C.

Une perruche ondulée est incapable dans un premier temps de reconnaître les vitres comme limite d'espace. Pour qu'elle ne s'y cogne pas violemment, il faut tirer les rideaux et baisser les stores. En les ouvrant chaque jour un peu plus, l'oiseau s'habituera lentement à la fenêtre.

à leur place favorite sauf Sibell le petit dernier. Il était tombé dans la corbeille à papier et ne pouvait plus se libérer seul de ce cylindre étroit et glissant.

Le plus grand risque : s'envoler

Six oiseaux sur dix gardés en captivité s'envolent. Le bilan est bien triste sachant qu'une perruche ondulée n'a aucune chance de survivre dans notre climat. En outre elle est incapable de s'orienter. Même en Australie elle n'a pas besoin de cette faculté pour sa vie nomade. Une perruche envolée ne retrouve jamais son chemin et est vouée à une mort certaine, si elle n'a pas la chance d'être accueillie par hasard dans un autre foyer. La première obligation est donc de garder systématiquement toutes les portes et fenêtres fermées. L'oiseau peut aussi s'enfuir de sa cage. Il se glisse à travers la fente laissée par le plateau quand on est en train de changer le sable, ou il a appris à ouvrir la porte de la cage avec le bec. De même les voilages tirés devant des fenêtres entrebâillées ne servent à rien. L'oiseau grimpe jusqu'en haut et se faufile entre crochets et tringle. Je vous conseille d'installer un fin grillage (largeur des mailles 1 x 1 cm) monté sur un cadre en bois devant au moins une fenêtre de la pièce où l'oiseau vit habituellement. Cela vous permettra d'aérer sans crainte et de laisser votre oiseau en liberté même lors de vos absences.

Les plantes d'appartement

Dans la pièce habitée par l'oiseau, on devrait également être attentif aux plantes vertes.

Les plantes toxiques dont l'oiseau ne devrait pas s'approcher : primula obconica, strychnos vomica, vinca hostea, euphorbia milii, toutes les espèces de Dieffen-bachia, if, jacinthe, pervenche (*viniva minor*) ; toutes les espèces de Solonaceae Personatae, par exemple le pommier d'amour (*solanum capscastrum*), pachypodium, narcissus, laurier rose (*nerium oleander*), les fruits de l'ardisia, l'étoile de Noël (*euphorbia pulcherrima*), codiaeum variegatum, adenium obesum et les fruits de l'asparagus densiflorus.

Les plantes suivantes ne sont pas toxiques, mais contiennent des substances irritant les muqueuses et pouvant être nocives pour un si petit oiseau : lierre, monstera, anthurium scherzerianum, allamanda cathartica, alaonema, philodendron et schefflera.

Attention à toutes les plantes grasses et plantes à épines : l'oiseau peut se blesser les yeux.

Plantes non toxiques : vous pouvez bien entendu les garder chez vous. Cependant personne ne peut vous promettre qu'elles n'auront pas un attrait tout particulier pour votre perruche ondulée qui les éclaircira peut-être plus que vous ne l'auriez souhaité.

L'ennui est néfaste

Dans un appartement conçu pour nous, une perruche ondulée ne peut pas s'épanouir pleinement. Même un couple n'a pas assez d'occupations en captivité. Les oiseaux ne se dépensent pas pour chercher leur nourriture, se fatiguent peu ou pas du tout pour élever leurs petits, la femelle

Détendu, l'oiseau se pose sur la main familière.

ne construit pas son nid, le mâle ne se bat pas pour éloigner les rivaux et les ennemis sont inexistants. Bien sûr ils ne vont pas s'activer du matin jusqu'au soir. Ils font une petite sieste plusieurs fois par jour et passent un certain temps à nettoyer leur plumage. Mais si on ne leur donne pas quelques suggestions de jeux et possibilités de se faire le bec, même de très jeunes oiseaux se lasseront très vite. Ces oiseaux intelligents, pleins de vie et de tempérament, ont besoin de jouer et leur compagnon humain doit leur apporter les stimulations leur permettant d'exercer leurs talents.

Des jouets appréciés
Pour combler les heures de solitude un compagnon de la même espèce est la solution idéale. Cependant même deux oiseaux ne peuvent pas continuellement refixer les règles de la

cohabitation et ne sont pas toujours d'humeur de pariade. Les perruches ondulées s'occupent énormément en se faisant le bec aux branchages et s'activent avec beaucoup de zèle autour de toutes sortes de jouets. Il ne s'agit pas uniquement de jouets spécifiques pour elles, mais d'objets divers que l'oiseau peut bouger et manipuler de différentes façons. Vous trouverez dans les magasins spécialisés ou les grandes surfaces les jouets suivants :

Clochette : elle est particulièrement aimée en métal brillant :

Miroir : suspendu ou monté sur une boule comme un poussah. La perruche ondulée déploie beaucoup d'activités quand elle pousse son image reflétée par le miroir, le soi-disant rival, et s'en écarte rapidement pour l'esquiver.

Oiseaux en plastique : on peut les glisser sur un perchoir. Certaines ondulées les attaquent comme un ennemi, d'autres les nourrissent comme leur compagnon ou des oisillons affamés.

Petites balles en plastique avec grêlon : très appréciées à condition que vous participiez à ce jeu.

Objets que l'oiseau trouve chez vous :
Petits objets divers que vous trouverez dans les magasins ou que l'oiseau choisit chez vous et qu'il aime souvent passionnément : dé à coudre, bille en verre, petite boîte, pions de jeux de société, figures d'échecs ou un petit verre comme je l'ai vu dans une clinique vétérinaire. Pour se consoler de sa solitude dans sa cage d'isolement, une ondulée malade s'est glissée dans un petit verre à liqueur.

Le miroir est un jouet indispensable pour une ondulée vivant seule.

Sa propriétaire expliquait que ce verre apportait la consolation et la sécurité à son oiseau dans tous les moments difficiles de sa vie.

Important : tous les objets suspendus doivent être fixés avec une chaînette ou un cordon court et pas trop mince pour éviter un accident de strangulation. Lavez tous les jouets de temps en temps à l'eau chaude.

Des jeux stimulants

Les perruches ondulées sont, de nature, intelligentes, agiles et d'excellents volatiles. En captivité ces facultés restent inexploitées et une ondulée en bonne santé physique et psychique exprime ses talents par la curiosité, l'imitation vocale et des jeux divers. Les jouets cités l'aident dans cette recherche, mais dès que l'oiseau est seul, il se lasse très vite. Il a besoin de vous pour s'épanouir. En s'appliquant il fait rouler une petite balle jusqu'au bord de la table et regarde sa chute avec beaucoup d'attention. Si quelqu'un ramasse l'objet et le pose si possible à l'autre bout de la table, la perruche ondulée enthousiasmée continue le jeu. Elle peut porter l'objet dans son bec levé très haut à travers toute la table et le lancer dans votre direction pour vous inviter à jouer. Si vous faites alors rouler la balle, elle s'écarte apeurée ou se dirige droit sur l'objet pour le lancer dans la direction opposée. Elle essaie d'attraper une petite clochette que vous agitez pour la pousser à son tour et d'éviter comme un éclair le mouvement retour.

Pour moi ce petit jeu devenait un vrai exercice physique. Mon Manky assis tout en haut de son arbre me jetait sa petite balle. Combien de fois je me suis baissée pour la ramasser.

S'amuser seul

Votre perruche ondulée vous observera désormais attentivement pour déceler quand vous êtes prêt à jouer. Mais si elle ne remarque aucune intention de votre part, elle est aussi capable de s'occuper seule. Prendre soin de son plumage tous les jours lui demande déjà un certain temps. Aucune plume n'est négligée. Elle fait glisser les rémiges (plumes des ailes), les rectrices (plumes de la queue) et les tectrices (plumes du corps) une à une dans son bec pour les débarrasser de la poussière, les lisser et les graisser légèrement. Pour cela elle frotte sa tête contre la glande uropygienne, située près du croupion et contenant une matière grasse, et la répartit sur les plumes. Elle est extrêmement souple, voire acrobatique et peut atteindre toutes les parties de son corps à l'exception de la tête. De temps en temps elle fait une petite pause et s'endort en oubliant son entourage. A son réveil elle est en pleine forme pour s'attaquer aux branches, aux plantes d'appartement, très volontiers aussi aux papiers, livres, papiers peints et posters. Ne vous inquiétez pas, car ses préférences changent. Au début de notre vie commune, tous mes manuscrits avaient des bords grignotés ; mais quelque temps après, ils avaient perdu leur attrait et ma perruche ondulée se tournait vers mes livres. Là, j'ai tendu un drap devant les étagères. Mon oiseau a

découvert alors avec un grand plaisir ma collection de minéraux qui ne craignait trop rien.

Important : les perruches ondulées

Tenant la balle dans son bec, l'oiseau traverse toute la table. Si vous jouez maintenant avec lui, vous ferez un vrai "match".

exigent constamment de nouvelles stimulations pour se faire le bec. Prévoyez donc régulièrement des branches, des os de seiche ou des blocs minéraux.

Tête à tête

La perruche ondulée ne veut pas toujours jouer, s'amuser ou se reposer. Les meilleurs moments de la journée sont aussi ceux qu'elle peut passer assise sur votre doigt ou votre épaule en écoutant votre voix. Si elle entend souvent son nom, de courtes mélodies ou des phrases très brèves, elle essayera peut-être de les imiter. Cela vaut vraiment la peine de l'encourager au moment où vous parvenez à distinguer les premiers

27

mots. Sans se lasser, avec une attention toute particulière elle écoutera plusieurs fois par jour les mots connus et en apprendra de nouveaux. Si votre perruche ondulée est plus douée pour siffler ou imiter des bruits, ne soyez pas déçu et accordez lui malgré tout ces moments d'intimité, car elle adore être aussi proche de vous. Vous captez toute son attention quand il n'y a aucun bruit, que la lumière du jour décline et que rien ne distrait votre oiseau. C'est le moment propice pour tenter de le caresser tout doucement. Essayez de le caresser avec le bout du petit doigt ou le tuyau d'une plume perdue. Il a une préférence pour la tête et le cou parce qu'il ne peut pas les atteindre tout seul avec son bec. Une fois que votre perruche ondulée a compris que vous ne lui voulez que du bien, elle s'abandonnera volontiers à vos caresses et vous rendra la pareille en vous bécotant tendrement les sourcils, les cils et la peau.

Leçons particulières pour oiseaux talentueux

Les ondulées douées répètent tout ce qu'elles entendent souvent, par exemple les salutations, les noms, les interdits, les gros mots ou le "allo" au téléphone. Si vous désirez apprendre des mots bien précis à votre oiseau, essayez la méthode suivante :

Une friandise : la grappe de millet. Mais elle ne doit pas être l'aliment essentiel pour l'oiseau. Son alimentation serait alors déséquilibrée.

● Dire le mot correspondant à des situations bien précises et répétitives, par exemple : "bonjour" en entrant le matin, "bonsoir" avant de fermer la lumière le soir, "voilà quelque chose de bon" en lui apportant la nourriture.
● Dire la même phrase si possible avec la même intonation.
● Chanter ou siffler plusieurs fois par jour le même air.
● Répéter l'ensemble de son vocabulaire chaque jour.
● Peut-être pouvez-vous enregistrer le répertoire de l'oiseau ? Vous le lui ferez écouter pendant vos absences. Ma perruche ondulée Manky, la plus douée de tous mes oiseaux, était à chaque fois allongée presque à plat ventre sur le magnétophone et écoutait avec ravissement. Elle connaissait l'enregistrement par cœur et à chaque interruption enchaînait déjà avec la phrase suivante.

Les mots justes

Régulièrement on entend parler d'oiseaux qui peuvent dire des phrases correspondant exactement à une situation bien précise. La plupart du temps il s'agit de perroquets gris, mais des perruches ondulées en sont également capables. Ainsi ma perruche Jackele était assise près de Clowny en la bécotant tendrement et répétait inlassablement : "Ma petite Clowny, comme je t'aime." Bien sûr il m'avait entendu le dire, mais ne le répétait qu'à elle, jamais à moi ni à une autre perruche ondulée. Lorsque j'avais des visiteurs qui demandaient à Manky : "Qui es-tu ?", l'oiseau répondait spontanément : "Manky Wolter de Planegg." Pendant les

Donnez à votre oiseau un nom bref et mélodieux qu'il peut répéter facilement. Vous devrez faire preuve de beaucoup de patience pendant cet apprentissage qui ne sera pas toujours couronné de succès - mais que cela ne vous gâche pas le plaisir éprouvé en la compagnie de cet adorable oiseau.

vacances nous gardions parfois Maxi, une perruche ondulée mâle vivant seule et qui n'était pas très rassurée par mes oiseaux. Elle jouissait davantage de sa liberté quand les miens étaient enfermés. Mais ils protestaient si violemment et si bruyamment que je les libérais assez rapidement. Si Manky s'approchait alors trop près de Maxi, notre hôte criait tout excité : "Enfermez-le, enfermez-le !", un cri poussé par la grand-mère qui avait peur des oiseaux.

Les perruches ondulées sont intelligentes

Le professeur autrichien Otto König, spécialiste du comportement animal, raconte comment il a appris à compter aux oiseaux. Apparemment la perruche ondulée aussi bien que le choucas réussit à compter jusqu'à 6 en picorant des graines. Le pigeon peut aller jusqu'au chiffre 5, le perroquet gris jusqu'à 7. En le côtoyant tous les jours, vous remarquerez des signes d'intelligence chez votre oiseau : par exemple, il quitte rapidement sa cage lorsqu'il s'aperçoit de votre intention de l'enfermer.

Ma perruche ondulée Jojo jouait volontiers avec des balles bicolores à l'intérieur desquelles roulait un petit grelot. J'en avais toujours plusieurs exemplaires, mais elle en préférait une bien précise et jouait exclusivement avec celle-là. Si je l'échangeais contre une autre, elle la boudait, était visiblement affligée de sa perte et la cherchait partout. Si je la lui rendais mélangée à quatre autres,

Une perruche ondulée s'amuse beaucoup avec une petite balle. Le jeu devient particulièrement intéressant si vous y participez.

elle s'y précipitait excitée, ignorant les autres. Manky savait détourner astucieusement la retenue naturelle qui interdit à chaque mâle d'agresser une femelle. Sa place favorite était sur mon bureau près d'une boîte en onyx devant laquelle je lui donnais du gruau d'avoine dont il raffolait. Il se

Pour dormir et pour se reposer dans la journée, l'oiseau enfouit son bec dans les plumes dorsales.

mettait presque à plat ventre pour déguster cet extra. Si par hasard Mini, sa femelle, s'approchait à ce moment, il rusait ainsi : mine de rien il commençait à jouer à la balle avec moi en s'efforçant de ne pas la lancer dans ma direction, mais de toucher Mini et de la chasser, la plupart du temps avec succès d'ailleurs. Lorsque Manky était encore tout seul, il observait très attentivement ce que je faisais. Si je devais m'absenter plus longuement, il s'en rendait certainement compte et s'installait alors dos tourné dans son arbre. Mais juste au moment ou je quittais la pièce, il se jetait avec un cri sur moi et essayait de se cacher dans mon décolleté. A chaque fois il me faisait tant de peine que je lui donnais rapidement Mini comme compagne.

Une seconde perruche ondulée

Naturellement j'étais d'abord hésitante. Manky resterait-il aussi attaché à moi malgré la présence d'un deuxième oiseau ? Continuerait-il à parler d'une façon aussi charmante ? Lorsque je lui présentai Mini pour la première fois, je la tenais dans mes deux mains et juste sa petite tête dépassait. Manky a couru vers elle et lui a arraché brutalement une plume de la tête. Mini poussa un cri et je l'ai vite emmenée. Manky était certainement jaloux. Le lendemain j'ai posé la femelle qui ne savait pas encore voler, tout simplement par terre. Manky l'observait et a probablement reconnu le tout jeune âge de Mini. En tout cas il a commencé à la nourrir et continua jusqu'à l'âge adulte de Mini. Notre relation ne s'est pas du tout modifiée et nous y avons inclu Mini. Manky n'a plus jamais été jaloux et tenait tout autant à nos moments de jeu et de bavardage. Mini avait une préférence pour son compagnon d'espèce et ne voyait en moi qu'une sorte de secouriste sur qui on pouvait compter dans des situations épineuses.

Acclimatation d'une seconde perruche ondulée
● Le sexe du deuxième oiseau n'a pas d'importance. Si deux oiseaux de même sexe cohabitent, l'un d'eux jouera le rôle du sexe manquant. Cependant le nouvel oiseau doit être très jeune pour que le plus âgé puisse instinctivement s'en occuper.
● Isolez le nouvel oiseau si possible pendant au moins une semaine et occupez-vous beaucoup de lui pour qu'il surmonte sa peur.
● Quand vous mettez les deux oiseaux ensemble, laissez la cage ouverte. Ils pourront ainsi s'éviter, si le plus âgé n'accepte pas tout de suite le nouveau.

L'hygiène est primordiale

Comme tous les animaux domestiques, les perruches ondulées font également des saletés. On les enlève très facilement avec l'aspirateur. L'hygiène quotidienne est indispensable pour la santé de l'oiseau. Sa cage, son arbre et tous ses objets exigent des soins réguliers. Faites-vous un planning.

Les soins

Chaque jour
● Enlever avec une cuillère toutes les saletés du fond de la cage et de la jardinière. Rajouter un peu de sable. *Attention :* l'oiseau peut se glisser à travers la fente laissée par le plateau. Pour plus de sécurité bouchez-la avec un livre ou un torchon humide.
● Vider toutes les mangeoires et éventuellement aussi le distributeur d'eau. Les laver à l'eau chaude, bien les sécher et les remplir à nouveau. Remplir à moitié la mangeoire contenant les graines.
● Passer du papier de verre sur les branches souillées et essuyer avec un torchon humide.
● Regarder l'après-midi si l'oiseau a encore assez de graines. Si elles sont

Beaucoup de perruches ondulées utilisent la corde suspendue au plafond de la cage pour grimper et faire des acrobaties. Les plus apprivoisées s'en servent comme d'un manège.

31

Tendre invitation à la caresse...

... parfois il faut un peu insister.

• Laver toute la cage. Frotter et sécher toutes les parties et laisser les parties en bois sécher à l'air.
• Remplacer les branches abîmées dans la cage et l'arbre par de nouvelles branches bien lavées et séchées.
Important : ne pas utiliser un distributeur de graines. Il se bouche très facilement et si les graines ne tombent plus en quantité suffisante, l'oiseau peut mourir de faim devant un distributeur rempli à ras bord. Ne pas utiliser de détergents et produits de ménage qui sont toxiques pour l'oiseau. De l'eau chaude à 55° est aussi efficace et non toxique.

Que faire de l'oiseau pendant les vacances ?

Si vous voulez partir en vacances, vous devez réserver votre gîte et celui de votre oiseau ou y penser.
A l'étranger, vous ne pouvez pas l'y amener. La réglementation concernant les perroquets est extrêmement stricte.
Un trajet en voiture est faisable. Attention aux courants d'air en roulant même en plein été. Pour sa propre sécurité l'oiseau doit rester dans sa cage à l'hôtel ou en pension, les femmes de ménage ne faisant pas attention aux portes et fenêtres fermées. Une tente n'est pas appropriée pour un oiseau, en revanche la maison de vacances crée une ambiance familiale.
C'est à la maison, dans son environnement habituel, que l'oiseau se sentira le mieux, à condition d'avoir une personne digne de confiance qui prendra soin de lui

cachées par trop d'écorces vides, les enlever avec une petite cuillère. Ne pas souffler : cela fait trop de poussière.
Chaque semaine
• Laver et sécher le fond de la cage et le plateau de sable.
• Laver et sécher miroir et clochette.
• Jeter les graines restantes. Laver, sécher et emplir à nouveau toutes les mangeoires.
Chaque mois

Se faire gratouiller la tête est très agréable.

deux fois par jour, jouera et bavardera avec lui.

Faire garder votre oiseau chez des amis ou dans votre famille est également possible. Donnez-leur alors toutes les instructions, apportez tout ce qui est nécessaire.

Les animaleries peuvent prendre votre perruche ondulée en pension, mais elle restera en cage.

En cas de maladie : si vous devez vous faire hospitaliser, je vous conseille d'avoir recours à une des trois dernières propositions citées.

Conseil pour personnes seules : bien avant d'en avoir besoin, cherchez déjà une personne de confiance susceptible de vous remplacer.

Mon conseil : certains refuges ou pensions pour animaux de compagnie disposent d'adresses de personnes aimant les oiseaux et disposées à en garder chez elles pendant les vacances ou en cas de besoin.

Photos ci-dessus : des branches en bois naturel pour grimper et grignoter. Les ondulées s'y sentent le mieux. Elles les trouvent idéales pour les pattes et le bec.

33

L'équilibre alimentaire

La nourriture des perruches sauvages

En Australie, les perruches ondulées se nourrissent principalement de graines d'herbes ou de graminées. Elles sont continuellement à la recherche de nourriture et si elles traversent des régions arides, elles s'arrêtent près des points d'eau pour ramollir les graines sèches dans leur jabot. Si les points d'eau et les rivières sont à sec, elles parcourent la savane et boivent la rosée du matin. Elles absorbent en même temps un peu de sable riche en sels minéraux, de petits cailloux aidant la digestion et de la verdure. Dès que la pluie s'installe pour plusieurs jours, elles commencent la nidification, la pluie faisant pousser des herbes jeunes et leurs graines demi-mûres constituant une nourriture extrêmement riche pour parents et poussins. Sans elles, l'élevage des petits serait impossible.

Seules les graines capables de germer sont riches en éléments essentiels pour la santé de l'ondulée. Regardez la date d'emballage quand vous achetez votre mélange de graines.

Des graines comme nourriture de base

La connaissance de l'alimentation des perruches sauvages nous a permis de reconstituer une nourriture de base équilibrée pour nos perruches domestiques. Le mélange de graines se compose de 30 % d'alpiste, 25 % de millet blanc, 20 % de millet plata, 15 % de millet roux et d'avoine, 5 % de niger et 5 % de lin. De bons mélanges contiennent également du chardon, du colza et du panicum. Beaucoup de fabricants y ajoutent des graines iodées pour prévenir les maladies de la thyroïde.

Important : regardez la date d'emballage imprimée sur les boîtes. Elle ne doit pas être antérieure à trois mois, car nous ne savons jamais combien de temps les graines ont été stockées avant leur emballage. Toutes les graines vendues dans le commerce sont récoltées une fois par an, germinatives pendant un an et comestibles pendant deux ans. Mais comme leur valeur nutritive diminue de toute manière pendant la conservation, il est conseillé de faire un essai de germination avec chaque paquet de graines acheté. Si les graines germent, elles sont alors riches en substances nutritives (recette de germination, page 39). Si seulement une petite quantité de graines se met à germer, vous ne devez plus utiliser le paquet.

Picorer des graines au sol est un plaisir pour une ondulée. Elle a gardé cette habitude de ses ancêtres australiens obligés de chercher la nourriture par terre.

Signes de détérioration :
● Pourriture : les graines pourries ont une odeur très forte tandis que les graines saines sont inodores.
● Moisissure : elle se reconnaît à son dépôt gris. Examinez bien les graines.
● Vermine : vous reconnaîtrez sa présence aux graines collées et aux fils très fins s'apparentant aux fils d'une toile d'araignée.

Conservation : si vous ne possédez qu'une ou deux perruches, un paquet de graines suffira pour plusieurs semaines. Conservez les graines à l'abri de l'humidité dans un endroit sombre et aéré.
Il est conseillé de les accrocher dans un petit sachet en fibres naturelles dans un endroit propice.
Il est déconseillé de les conserver dans un sachet plastique, une boîte en fer ou en verre.

Combien de graines par jour ?

● Mettre tous les matins deux cuillères à café de graines dans la mangeoire. Si vous avez deux mangeoires, répartir une cuillère par mangeoire.
● Enlever les écorces vides en début d'après-midi et chaque soir.
● Rajouter une petite cuillère s'il ne reste plus beaucoup de graines pour le lendemain matin.
Il est conseillé de donner suffisamment de nourriture à votre oiseau. Le jour où vous ne pourrez rentrer chez vous comme prévu, les mangeoires bien remplies seront un vrai soulagement.
Il est déconseillé de préserver votre oiseau de l'embonpoint en le rationnant. Les oiseaux ont un métabolisme actif et ont besoin de se nourrir fréquemment par petites quantités. Ils prennent uniquement du poids quand ils sont mal nourris et n'ont pas assez d'exercice. Donc : évitez ce qui fait grossir comme les cœurs ou les baguettes au miel.
Mon conseil : ne soufflez pas les écorces vides. C'est trop salissant dans un appartement et trop dangereux par la fenêtre, l'oiseau risquant de s'envoler.

L'eau potable

Bien entendu l'oiseau a besoin chaque jour d'eau fraîche. L'eau du robinet pas trop froide est bonne, l'eau minérale en bouteille est encore meilleure. Donnez à votre oiseau malade de l'eau bouillie, une infusion de camomille si le vétérinaire le conseille.

Fruits et légumes

Pour que votre perruche ondulée reste en bonne santé, conserve son joli plumage et ne prenne pas de poids excessif, il faut lui donner chaque jour des fruits et légumes frais. Selon le menu familial, vous lui donnerez un peu de tout.
Légumes crus : aubergine, bette, carotte, chicorée, courgette, épinard, graines de maïs, petits pois, pissenlit, salade non traitée.
Fruits : abricot, ananas frais, banane, cerise, figue, fraise, framboise, kiwi, mandarine, mangue, melon, mûre, orange, pêche, poire, pomme, raisin.
Non supportés : sont toutes les espèces de choux, les pommes de terre crues ou vertes, les haricots verts, le pamplemousse, la rhubarbe, les prunes, le citron.

Le porte-épi est bien pratique pour la grappe de millet. Vous pouvez y mettre également de petits morceaux de gruau.

Faire preuve de souplesse acrobatique pour nettoyer les plumes de la queue.

Important : ne donnez rien de ce qui sort directement du réfrigérateur. Tout aliment doit être à température ambiante, être lavé, séché et épluché.

Comment présenter les aliments frais ?

Coupez tous les fruits assez durs comme ananas, pomme, poire et carotte en morceaux assez épais pour pouvoir les coincer entre les barreaux de la cage. Coupez les fruits mous en petits morceaux et mettez-les dans une soucoupe mélangés aux petits pois, salade et légumes râpés. Ne soyez pas découragé si l'oiseau ne comprend pas tout de suite que vous lui présentez quelque chose de savoureux. Parfois cela peut durer des jours, voire des semaines avant que l'oiseau n'apprécie le goût des aliments frais. Les perruches ondulées habituées aux fruits et légumes frais adorent les grignoter et coupent un morceau de carotte par-ci, quelques bouts de pomme par-là sans tout manger. C'est l'envie de déchiqueter qui l'emporte. Néanmoins elles en avalent assez pour leur équilibre alimentaire : si on considère le poids léger d'une perruche ondulée, l'apport en vitamines est certes indispensable, mais faible en comparaison du nôtre.

Sels minéraux et oligo-éléments

Une perruche ondulée en a besoin au même titre que les hommes, cependant en quantité minime. On en trouve un peu dans les graines, fruits et légumes. Calcium et phosphore sont apportés par le bloc minéral et le sable coquillier. Au moment de l'achat du bloc minéral ou os de seiche veillez à l'inscription "riche en calcium aidant la formation de l'ossature et le développement des plumes". Vous devriez toujours en avoir en réserve, car souvent l'oiseau, comme s'il était pris d'une fringale, le ronge en quelques heures après l'avoir négligé pendant des jours.
Mon conseil : ne donnez pas d'os de seiche à une femelle en nidification. Certaines éprouvent alors des difficultés de ponte.

Herbes et plantes sauvages

Aux aliments frais, on peut également ajouter des herbes et plantes sauvages qui ressemblent à celles recherchées par les perruches sauvages.
De la cuisine ou du jardin : le basilic, le cerfeuil et le persil.
Dans le pré (sans apport d'engrais) ou au bord de la route (pas dans la rue à

Se gratter la tête.

Lisser ses plumes.

cause des gaz d'échappement) cueillez lors de vos promenades des herbes sauvages, par exemple : les graines mûres ou mi-mûres du pâturin et du plantain, les feuilles et fleurs de la vesce cracca, les pâquerettes fanées sans tige, les follicules ouvertes des pensées sauvages, les fleurs et fruits de l'aubépine ainsi que les feuilles et tiges du pissenlit, de la petite oseille, de la morgeline (mouron des oiseaux) et cresson d'eau.

Photos ci-dessus : le nettoyage scrupuleux du plumage fait partie du comportement naturel de l'oiseau qui ne peut voler qu'avec un plumage propre et lisse.

37

Comment les présenter ? Lavez les plantes, séchez-les en les secouant et fixez-les à l'aide d'une pince au toit de la cage.

Mon conseil : si vous observez que l'oiseau essaie de se "baigner" dans les herbes humides, présentez-lui tout de suite sa baignoire ou une coupe remplie de plantes humides pour une "trempette" (voir page 18).

Ce qui enrichit l'alimentation
En vente dans les magasins spécialisés ou grandes surfaces :
- La grappe de millet est un régal nutritif dont les perruches ondulées raffolent. C'est un produit naturel, idéal pour les couples en période de couvaison, les poussins et oisillons ainsi que pour les perruches malades et chétives. Les oiseaux adultes et en bonne santé ne devraient en manger qu'un morceau de 6 cm environ par

Lorsque l'ondulée nettoie les plumes de son ventre, elle les fait glisser une par une dans son bec pour les graisser et les lisser.

Une alimentation variée préserve la santé de votre perruche ondulée. Hormis le mélange de graines, elle a également besoin de fruits et de légumes, d'herbes et de plantes sauvages. Il est conseillé d'ajouter en outre une préparation vitaminée de temps à autre dans son eau.

jour pour éviter qu'ils s'en nourrissent exclusivement et prennent du poids. Fixez le millet à la cage.
- Les mélanges spéciaux aidant la mue et favorisant le langage sont certes constitués de graines riches en vitamines et autres substances (on n'en connaît pas l'analyse exacte), mais inutiles pour un oiseau bien portant et sans aucune influence sur son aptitude à parler. Ce talent est propre à l'oiseau et vous pouvez seulement le favoriser en lui parlant patiemment et inlassablement (voir page 29).
- Les cœurs et baguettes de graines au miel sont présentes en tant que friandises. Personne ne sait si les oiseaux les apprécient à cause de leur goût ou parce qu'ils se prêtent au picorage. Ces friandises n'apportent que des calories superflues et les branches fraîches sont bien plus saines et efficaces pour le travail du bec.
- La préparation vitaminée par contre est un complément judicieux, car l'apport en vitamines de la nourriture de base par les fruits et légumes n'est pas vérifiable. Les vitamines sont cependant essentielles. Plus l'organisme est petit, plus il réagit aux carences alimentaires. Il est donc conseillé d'enrichir l'eau en vitamines. Ces préparations sont en vente dans les magasins spécialisés et en pharmacie. Attention à la date de fraîcheur – les préparations trop longtemps conservées perdent leur valeur.

Ce que vous pouvez préparer vous-même
- Un jaune d'œuf mélangé à un peu

de fromage blanc maigre apporte la précieuse albumine. Une demi-cuillère à café une fois par semaine est bonne pour la santé.

● Des céréales fraîchement concassées que vous prenez peut-être pour votre petit déjeuner. Vous pouvez en donner tous les jours une pincée trempée dans un peu d'eau tiède.

● Avec des graines germées vous devriez faire faire une cure de trois à quatre semaines à votre perruche ondulée en hiver, au printemps, pendant la mue et l'incubation et si elle ne mange que peu d'aliments frais. Cette cure prévient les carences alimentaires et vous pouvez prendre des graines constituant la nourriture de base, des graines d'avoine ou de froment achetées dans un magasin de diététique. Dès que les graines absorbent de l'eau, des réactions chimiques entraînent la germination. Les vitamines, sels minéraux et oligo-éléments sont libérés et les graines

Recette de germination

● Couvrir 1/2 cuillère à café d'aliment de base, 1/2 cuillère à café d'avoine et 1/2 cuillère à café de froment avec 2 cm d'eau et faire tremper pendant 24 heures.
● Passer les graines sous l'eau tiède, laisser égoutter, en remplir une coupe en verre et la laisser reposer, légèrement couverte, pendant 48 heures dans une pièce claire et à température ambiante.
● Dès que les germes apparaissent, vous pouvez en donner à votre oiseau. Il faut les passer à l'eau et les faire égoutter. Après 24 heures les germes sont encore plus grands.

trempées, mieux encore les graines germées gagnent ainsi en valeur nutritive.

Très important : ne couvrez pas les graines qui alors moisiraient. Les germes moisissent très rapidement à température ambiante. Jetez donc tout ce que l'oiseau n'a pas mangé au bout de deux heures.

Les friandises sur votre table

Personne ne peut résister à une perruche ondulée apprivoisée qui au moment du déjeuner va d'assiette en assiette pour voler un peu de ce qui est interdit. Cependant les mets chauds, les épices et autres aliments incompatibles avec la nourriture de l'oiseau cachent des dangers. La perruche peut se brûler les plumes et la langue ou s'étouffer. Celui qui permet malgré tout à son oiseau d'assister au repas familial, doit le surveiller constamment et devrait lui réserver quelques friandises comme par exemple une pomme de terre cuite et refroidie, un morceau de pain blanc, un peu de légumes ou de fruits. Si la perruche reste en cage pendant vos repas, elle se mettra elle aussi à table : devant sa mangeoire.

Résumons l'essentiel

Ce qui est sain
● Une fois par jour une mangeoire remplie d'un mélange de graines ; enlevez au moins une fois par jour les cosses vides qui jonchent le sol de la cage.
● Chaque jour un morceau de grappe de millet de 6 cm.
● Deux fois par jour une coupe remplie de fruits et légumes variés.

L'eau reste propre dans un distributeur, son orifice étant trop étroit pour laisser entrer des saletés.

Il n'est pas si facile...   *de picorer la grappe de millet.*

● Chaque jour un petit bouquet d'herbes ou de plantes sauvages.
● Toutes les 4 à 6 semaines une cure de graines germées.
● Chaque jour de l'eau fraîche, éventuellement enrichie d'une préparation vitaminée.
● En permanence un bloc minéral dans la cage.

Ce qui est nocif
● Les aliments froids sortant directement du réfrigérateur.
● Les aliments pourris, moisis même si on enlève les endroits attaqués.
● Les aliments salés et épicés, le sel, les épices, le sucre.
● Le chocolat et autres sucreries.
● Crème fraîche, beurre, fromage, autres graisses et aliments gras.
● Boissons alcoolisées et café.

A proscrire absolument
● Priver l'oiseau de nourriture dans le but qu'il vienne ensuite affamé "manger dans la main" : c'est un acte de cruauté envers les animaux !
● Distributeur de graines : je sais par expérience qu'il se bouche à cause de la poussière ou des cosses vides et que l'oiseau peut mourir de faim.

Veuillez y penser
Les perruches ondulées appartiennent à la famille des perroquets. Cependant leur bec n'est pas aussi solide. A l'aide de leur bec et de leur petite langue trapue elles peuvent retirer les graines de leurs enveloppes et arracher de petits morceaux de fruits mous, mais la chair de fruits et légumes durs comme les pommes ou les carottes doit être

Il faut la tenir avec une patte...   *et détacher les graines une par une.*

râpée ou coupée en tranches que l'on fixe solidement pour que l'oiseau puisse en arracher un bout. Selon la nature de l'aliment il faudra l'aider un peu. Certaines perruches ondulées préfèrent manger les graines sur la peau de la fraise, mais elles ne peuvent les attraper que si on tient le fruit. Le raisin doit être coupé en deux et si on le tient bien, les ondulées en boivent le jus avec un vrai délice.

Habituer aux aliments frais

Beaucoup de perruches ondulées refusent catégoriquement de goûter aux fruits, légumes et plantes. Pendant des années elles ignorent ces aliments sains jusqu'à ce que leur propriétaire résigné abandonne. Parfois on arrive à convaincre son oiseau en faisant preuve d'un peu d'imagination et d'intuition. Ainsi mes amis avaient décidé de tolérer leur perruche ondulée sur la table du petit déjeuner ou il y avait toujours du pain complet et des fruits. Au début l'oiseau touchait un peu au pain, mais quand il s'est aperçu que tous les membres de sa petite "famille" prenaient des fruits, il est devenu curieux et voulut y goûter. Peu de temps après il était habitué aux petits morceaux préparés à son intention et attendait tous les matins avidement son petit déjeuner.

D'autres propriétaires m'ont raconté des histoires similaires. L'oiseau était seulement prêt à manger des aliments frais, si le propriétaire en prenait lui-même.

Photos ci-dessus : le brin de millet est une vraie friandise pour la perruche mais c'est aussi une nourriture très riche. En effet, l'oiseau ne doit pas manger un morceau de plus de 6 cm quotidiennement sinon il deviendrait trop gros.

Quand l'oiseau est malade

La perruche ondulée malade…

…est assise apathique, le plumage ébouriffé, la queue légèrement pendante, à sa place favorite et évite tout contact. Souvent elle enfouit le bec sous les plumes, les yeux mi-clos et se repose sur ses deux pattes et non sur une seule comme pendant son sommeil habituel. Elle regarde dans le vide, les yeux ternes, ne mange guère et boit peut-être plus souvent. Si on ne vient pas vite à son secours, elle peut devenir si faible qu'elle s'affale presque à plat ventre sur son perchoir ou tombe par terre au fond de la cage. La visite chez le vétérinaire s'impose rapidement. *L'oiseau n'est pas malade*, s'il donne la becquée de graines régurgitées à son compagnon, à la clochette ou au miroir, s'il éternue parfois ou s'il bâille.

Comment aider son oiseau malade ?

Veillez au calme absolu et à une chaleur constante. Isolez votre oiseau et donnez-lui une infusion de camomille à boire. Souvent une lampe à infrarouge fait beaucoup de bien (voir page 44).

La visite chez le vétérinaire

Si l'état de santé de votre oiseau ne s'améliore pas dans les heures qui suivent, vous devez consulter un vétérinaire le jour même, au plus tard le lendemain. N'attendez pas si vous remarquez un signe inquiétant (voir page 43). Il existe dans beaucoup de villes un service vétérinaire d'urgence fonctionnant la nuit et les jours fériés. Le vétérinaire se déplace rarement et il faut donc lui amener l'animal.
Veillez :

● A mettre du papier au lieu de sable dans le fond de la cage pour qu'il puisse examiner les excréments.
● A protéger votre oiseau pendant le trajet contre le froid, l'humidité, une forte chaleur. Enveloppez la cage dans une couverture ou transportez-la dans un grand carton, mais laissez pénétrer suffisamment d'air.

Questions posées par le vétérinaire

● Quel âge a la perruche ondulée ?
● Quand vous êtes-vous aperçu la

Toutes les 12 à 15 minutes une perruche ondulée en bonne santé se soulage. Le dessin vous montre l'aspect des excréments : bord foncé autour de l'acide urique clair. Une fiente liquide peut être le signe d'une maladie.

Une perruche ondulée malade est assise apathique, les yeux mi-clos, les plumes ébouriffées et la queue pendante. Elle est installée presque à l'horizontale.

Regard sur les troubles de la santé

Ce que l'on remarque, ce qui peut être une indisposition passagère :

Apathie, confinement.

Refus de se nourrir.

Donner la becquée de graines régurgitées au compagnon ou aux objets ; pariade avec un objet.

Respiration difficile, bâillements fréquents - possibilité de manque d'exercice, d'obésité.

Eternuements fréquents.

Excréments mous ou liquides pendant 1 à 2 heures ; l'eau de bain trop froide, changement d'environnement, solitude, mélancolie.

Constipation.

L'oiseau boîte, traîne une patte, l'aile pend - légère contusion occasionnée par coup ou choc.

Enflures sous la peau.

Saignement du cloaque ou de blessures.

L'oiseau touche nerveusement son plumage, se gratte constamment.

Lésions spongieuses et brunes au bec, aux pattes, à la cire.

Perte de plumes, mue (page 46).

Bec supérieur ou griffes trop longs.

Signes d'alerte, si ces symptômes s'ajoutent, une visite chez le vétérinaire s'impose :

Troubles de l'équilibre, tremblement, chute, infection ?

Convulsions : carences alimentaires, tumeur ?

Expectoration de glaires, plumage collé, apparition de pus aux narines : inflammation du jabot ?

Respiration sifflante, l'oiseau est pendu à la cage pour mieux respirer : pneumonie, maladie de la thyroïde ?

Eternuement avec sécrétion des narines : refroidissement grave, signe d'une autre maladie ?

Excréments mousseux, fortement colorés avec traces de sang, nourriture trop froide, diarrhée persistante : Alerte ! Symptômes de nombreuses maladies (reins) ?

Efforts constants pour déféquer, cris de douleur, chez une femelle difficulté de ponte : occlusion intestinale ?

Patte ou aile pendent sans force : fracture ?

Bourrelet de graisse, grossissement de la glande uropygienne : tumeur, autre grosseur ?

Saignement intérieur : vaisseaux sanguins blessés ?

Perte de poids, plumage terne, plumes arrachées : acariens, trouble psychique ?

Acariens transmissibles entre oiseaux : gale des perruches ?

Mue permanente, calvitie : acariens, carence alimentaire, dérangement hormonal ?

Gêne pour s'alimenter, se déplacer : correction nécessaire.

première fois de son état ?
- Qu'est-ce que vous avez remarqué de particulier ?
- L'oiseau a-t-il déjà été malade ?
- Si oui, qui l'a traité et avec quels médicaments ?
- Que boit-il ?
- Quel mélange de graines mange-t-il ? (apportez absolument un échantillon).
- Qu'a-t-il mangé comme fruits et légumes ?
- Est-ce qu'il a pu toucher à des substances toxiques ?
- Quels animaux vivent chez vous ?

L'entretien avec le vétérinaire

La plupart du temps les excréments sont examinés tout de suite, au plus tard le lendemain. Si cet examen ne révèle pas l'origine de la maladie, le vétérinaire, selon son diagnostic, fera une piqûre ou donnera un médicament. Faites-vous tout expliquer en détail et surtout s'il vous propose un prélèvement de muqueuse, de peau ou de tissu pour examen complémentaire. Discutez avec votre vétérinaire pour savoir si le traitement prolongé est opportun, quelle chance de réussite il aura, comment l'oiseau le supportera et s'il existe d'autres possibilités de traitement. Demandez également les suites éventuelles lors d'une intervention chirurgicale que vous pouvez accepter ou refuser.

Administration des médicaments

Lors d'un traitement médicamenteux suivez scrupuleusement la prescription du vétérinaire quant à la durée, au dosage et à l'administration du médicament. Les médicaments liquides ou en poudre sont mélangés à la nourriture ou à l'eau (écrasez les comprimés). Dans ce dernier cas veillez à ce que l'oiseau ne mange plus de fruits et légumes et ne boive pas d'eau à un robinet qui coule. Si vous devez donner le médicament, tenez votre perruche avec une main, inclinez sa tête en arrière et versez la quantité prescrite goutte à goutte dans le bec à côté de la langue.

Traitement aux infrarouges

Posez une lampe à infrarouges de 150 à 250 watts à environ 40 cm de la cage de telle manière qu'elle n'éclaire qu'une partie de la cage. Ainsi l'oiseau peut se mettre à l'abri s'il a trop chaud (voir dessin page 46). Prévoyez de l'eau en quantité suffisante et posez un bol d'eau fumante près de la cage pour humidifier l'air. Laissez la lampe allumée pendant deux jours et recommencez après un jour de repos. Si l'oiseau va mieux, augmentez petit à petit la distance entre la lampe et la cage pour que la température baisse progressivement.
Important : lors de paralysies - l'oiseau traîne une patte ou une aile pend - ou lors de convulsions, le traitement par infrarouges est plutôt nocif. Consultez votre vétérinaire.

La maladie des perroquets (ornithose ou psittacose)

Cette maladie est difficile à diagnostiquer parce qu'elle ne présente pas de symptômes bien définis. Les oiseaux atteints sont apathiques et enrhumés, ont de la diarrhée avec des traces de sang et la

Coupez les ongles trop longs correctement de cette façon. Ne blessez pas les vaisseaux sanguins visibles à travers la corne.

Se bécoter et se donner la becquée font partie de la vie amoureuse.

respiration difficile ou une conjonctivite purulente. Tous ces symptômes peuvent apparaître séparément ou ensemble. Il est nécessaire d'observer votre oiseau lors de telles indispositions, de le traiter aux infrarouges et de consulter le vétérinaire, si le mal persiste. Jadis on craignait la maladie des perroquets parce qu'elle se transmet aux hommes et avait souvent une issue fatale. On a instauré la quarantaine pour les perroquets importés croyant que cette maladie ne touchait qu'eux. Aujourd'hui on sait que nos oiseaux chanteurs et nos volailles domestiques peuvent en être également atteints. Elle n'est d'ailleurs plus appelée psittacose - psittacides : de la famille des perroquets -, mais plus souvent ornithose. Il existe maintenant des médicaments efficaces pour guérir les hommes et les oiseaux, si la maladie est décelée tôt. Un examen des excréments .ordonné par le vétérinaire confirmera le diagnostic.

M ême si votre oiseau n'est pas malade, vous devriez vous renseigner, par mesure de sécurité, dans une oiselerie ou en parlant à d'autres propriétaires pour avoir l'adresse d'un vétérinaire expérimenté dans le traitement des oiseaux en cage.

Malformation des plumes
Elle se manifeste parfois chez des oiseaux âgés. Les rémiges, rectrices et tectrices restent dans leur enveloppe et ne forment qu'une petite touffe ou les plumes, sorties à moitié, s'enroulent autour du rachis. Une carence alimentaire, un dérangement hormonal, une mauvaise circulation sanguine ou des kystes à la tige des plumes peuvent en être la cause.

Picage des plumes
Peu de perruches ondulées ont cette "mauvaise manie" qui touche surtout les perroquets. L'oiseau tire sur ses plumes jusqu'à ce que la peau soit dénudée et sanguinolente à certains endroits. Beaucoup d'ornithologues en cherchent la cause dans des

Couvrez la moitié de la cage avec un linge pendant le traitement avec une lampe à infrarouges.
Si l'oiseau a trop chaud, il pourra se mettre à l'abri.

troubles psychiques, d'autres pensent que l'oiseau en se nettoyant le plumage goûte par hasard au liquide contenu dans les tuyaux des plumes et que ce liquide a par la suite l'effet d'une drogue. Malheureusement il n'y a pas de remède efficace pour lutter contre ce défaut. Si la cause en est psychologique, l'absence du propriétaire pendant les vacances par exemple, une amélioration se produira dès qu'il sera de retour. Souvent les causes ne sont pas si évidentes surtout en ce qui concerne les perruches où l'arrachage des plumes est presque toujours le signe d'une indisposition provoquée par une carence alimentaire ou des parasites. Consultez un vétérinaire expérimenté.

La mue
Ce n'est pas une maladie, mais elle entraîne une fatigue supplémentaire pour les perruches âgées. Pendant la mue, veillez à une alimentation particulièrement riche et équilibrée, à une chaleur constante et au repos. Pendant cette période, les oiseaux touchent souvent leur plumage ce qui est très différent de la "toilette" habituelle. Si la mue est très forte, elle peut entraîner une incapacité passagère de voler.

La mue française
Dans cette maladie, le plumage ne se développe pas complètement. Elle touche les poussins qui restent inaptes au vol, mais que l'on peut très bien apprivoiser. Il ne faut pas les laisser en contact avec des couples sains, car la maladie est contagieuse et peut contaminer les nouveau-nés.

Si vous désirez une nichée

Est-ce un vrai couple ?

Au cas où vous désirez des poussins, assurez-vous que vous possédez un vrai couple, c'est-à-dire un mâle et une femelle.

Signe distinctif du mâle
La cire à la base du bec est bleue - à moins qu'il ne s'agisse d'une perruche ondulée jaune aux yeux rouges, blanche aux yeux rouges ou d'une perruche arlequin avec une cire rose.

Signe distinctif de la femelle
Toutes les femelles ont la cire beige ou marron clair.

Le couple sympathise-t-il ?

Si vous avez un couple qui se fait des caresses et se béquette, vous aurez certainement un jour la joie d'observer les préparatifs d'une parade nuptiale. Ceci prend un certain temps parce que le coup de foudre n'existe pas chez les perruches. Il se peut que vos deux perruches s'entendent bien sans toutefois avoir une relation amoureuse. Ceci n'est pas surprenant sachant que les oiseaux n'ont jamais pu choisir un compagnon ce qui est primordial chez les perruches sauvages pour la formation d'un couple à vie.

Si votre couple ne manifeste aucune disposition pour l'amour, le mariage et la reproduction, vous pouvez acheter un autre mâle qui saura peut-être éveiller l'intérêt de la femelle.

Il n'est pas conseillé d'acheter une seconde femelle. Deux femelles rivalisent entre elles pour attirer l'unique mâle et peuvent se battre jusqu'au sang.

Une ondulée femelle, tête en arrière et queue relevée, est presque coquette lorsqu'elle est prête pour l'accouplement.

Déclaration amoureuse et pariade

Le mâle d'habitude plutôt réservé face à la femelle prend de l'assurance et s'approche d'elle fréquemment en lui tapotant le bec. Elle tolère ses approches et l'encourage à lui donner la becquée. Comme prélude aux jeux amoureux le mâle essaie de marcher sur la queue de la femelle qui s'en défend en criaillant et en se retournant vivement mais sans montrer deux petits points. D'abord la femelle ne semble guère impressionnée par tous ces stratagèmes, mais peu à peu elle est séduite et le lui fera savoir en dressant sa queue et en inclinant sa tête loin en arrière. Immobile elle garde cette pose tandis que le mâle, troublé, pose alternativement l'une ou l'autre patte sur son dos. Ils se bécotent jusqu'à ce qu'il ose monter sur elle. Il se tient avec son bec au plumage de la femelle et l'entoure avec ses ailes. Les deux cloaques se touchent permettant le passage du sperme mâle.

Le nichoir

Pour inciter les oiseaux à se reproduire, installez un nichoir de dimensions 25 x 15 x 15 cm, acheté en magasin, dans la cage ou l'arbre. A l'extérieur du nichoir se trouvent l'ouverture et un perchoir, l'intérieur est aménagé pour le nid. Souvent le toit du nichoir peut se soulever pour surveiller la nichée.

Changement de mode de vie

Les oiseaux éviteront d'abord cette boîte. Cependant la femelle se doute bien de son utilité. Elle s'en approche prudemment, regarde par l'orifice et ose enfin y pénétrer. Elle s'y active, en creuse le fond et y reste davantage chaque jour. Elle se fait nourrir par le mâle, mais lui interdit l'accès. En captivité il arrive que les mâles prennent eux aussi possession du nichoir ce qui est un phénomène de domestication. A l'état sauvage une femelle ne le supporterait jamais.

Les yeux sont ouverts.

Les ailes grandissent.

d'agressivité.
Pour l'impressionner, le mâle tire violemment sur la clochette, la fait tournoyer autour de sa tête, entreprend de grandes volées à travers la pièce, pousse tendrement la femelle avec son bec et sautille tout excité en faisant maintes courbettes. Il bavarde sans arrêt, hérisse les plumes du front et de la gorge tandis que ses pupilles se rétrécissent pour ne plus former que

*Photo ci-contre :
un jeune
perruchon qui ne
pèse que 2 g à
l'éclosion,
acquiert son
indépendance
au bout de cinq
semaines. Après
la première mue
qui intervient vers
le troisième ou
quatrième mois,
les jeunes sont
adultes et aptes à
se reproduire.*

Un léger duvet le couvre.

Le premier œuf

La femelle pond son premier œuf environ huit jours après l'accouplement. Il arrive que juste avant cet événement de toutes jeunes femelles maigrissent et écartent les ailes toutes tremblantes. Les excréments sont plus mous et plus fréquents. La cire est plus claire et plus lisse. Si le premier œuf tombe par terre parce que le nichoir n'est pas encore installé, la femelle, perchée sur une branche, garde péniblement son équilibre. Se tenant debout, tremblante, elle écarte ses ailes et mord dans le vide. Quelques minutes lui suffisent pour se remettre de l'effort. Sans nichoir, elle ne prête aucune attention à l'œuf ou le détruit.

L'incubation

Dès que la femelle a pondu son premier œuf, elle se met tout de suite à le couver. Tous les deux jours elle en pondra un autre jusqu'à ce que la ponte compte trois à cinq œufs, rarement plus. L'éclosion des jeunes se fera dans l'ordre de la ponte. Un œuf de perruche ondulée pèse 2 g autant que le poussin après l'éclosion. La femelle ne quitte le

L'accouplement des perruches ondulées a un côté tendre lorsque le mâle entoure sa femelle des deux ailes.

nichoir que trois ou quatre fois par jour et uniquement pour se soulager. Elle passe sa tête par l'ouverture du nichoir et se fait nourrir par le mâle. Bien que le mâle monte la garde près d'elle et calme la femelle par ses gazouillements et ses cris brefs, elle est craintive et aux aguets au moindre bruit.

Ce qui est important pendant l'incubation
● La femelle a besoin d'entendre son compagnon près du nichoir.
● Des agitations, du bruit ou d'autres dérangements surtout pendant les premiers jours peuvent provoquer l'abandon de la ponte et de l'incubation.
● Dès que la femelle couve avec assiduité, elle ne se laisse plus déranger et vous pouvez parfois jeter un petit coup d'œil sur la nichée.
● Au bout de dix jours profitez d'une absence de la femelle pour inspecter les œufs. Tenez-les contre une ampoule électrique. Les œufs fécondés sont de couleur bleuâtre et plus foncés que les œufs non fécondés qui sont plus clairs et transparents.
● Enlevez les œufs non fécondés, si la ponte compte plus de quatre œufs. La femelle accepterait mal une modification trop importante et risquerait d'abandonner l'incubation.
● Une température constante d'environ 22°C, de l'air frais et un taux d'humidité de l'air de 60 % sont importants pour les embryons. Mettez des humidificateurs ou tout simplement de grands récipients remplis d'eau et protégés par un grillage.
● N'essuyez pas et ne lavez pas les œufs souillés d'excréments. Cela pourrait nuire aux embryons et en outre cette couche naturelle les protège des infections.
● Une fois les œufs éclos, contrôlez le nid tous les jours. Il arrive qu'un des poussins meurt et il faut l'enlever. Vous en saurez davantage sur l'incubation et le développement des oisillons dans le chapitre suivant.
Ne pas oublier : même si le couple ne doit se reproduire qu'une seule fois, faites enregistrer la nichée.

Comprendre les perruches ondulées

Pourquoi le fait-elle ?

Depuis la parution de notre premier ouvrage concernant les perruches ondulées, j'ai reçu des centaines de lettres écrites par des propriétaires d'oiseaux. Les enfants surtout posaient de nombreuses questions et désiraient comprendre davantage le comportement, les gestes, les cris ou les habitudes de leur oiseau. Souvent j'étais obligée de répondre qu'aucune perruche ondulée ne ressemblait exactement à une autre et que chacune d'elles avait ses particularités. Néanmoins il existe des comportements typiques, propres à toutes les ondulées, comme le gazouillement mélodieux ou le grincement léger du bec, manifestation d'un oiseau content et satisfait.

Mouvements caractéristiques

Etirer les pattes : de temps en temps une perruche ondulée étire une patte et l'aile correspondante. On peut le comparer à notre étirement pour se relaxer après une position fatigante et prolongée. En étirant la patte l'oiseau serre en même temps ses ongles. Si vous remarquez que votre oiseau s'étire toujours du même côté ou ne fait pas du tout ce mouvement, il pourrait s'agir d'une faiblesse maladive. Observez-le et consultez éventuellement le vétérinaire.

Se tenir sur une patte : après s'être étirée, la perruche ondulée replie souvent une patte sous son ventre. C'est sa position pour dormir bien que beaucoup de perruches ondulées se reposent également sur leurs deux pattes. On doit bien connaître son oiseau et ses habitudes pour savoir s'il s'agit d'une caractéristique de l'oiseau ou d'une indisposition. On sait de façon sûre qu'un oiseau reposant sur une patte est l'image même du bien-être.

Enfouir le bec dans les plumes du dos : la perruche ondulée est souple

Après la ponte la femelle tient péniblement son équilibre. Un oiseau malade et souffrant peut avoir cette position.

et peut tourner sa tête de 180° ce qu'elle fait en cachant son bec dans les plumes légèrement ébouriffées du dos. Elle dort dans cette position et se repose ainsi dans la journée.

P arfois la perruche ondulée fait grincer son bec avant de l'enfouir dans son plumage pour dormir. Un signe d'une totale satisfaction et de bien-être.

Si la perruche ondulée saute dans sa cage en faisant des acrobaties périlleuses, elle veut sortir et voler. Souvent elle accompagne cette manifestation de son désir de cris hauts et forts.

Souvent elle fait aussi entendre un léger gazouillement.

Soulever les ailes : la perruche ondulée soulève fréquemment les deux ailes fermées. C'est une façon de s'étirer, mais aussi de rendre un peu de chaleur corporelle, quand elle a trop chaud. Souvent c'est un signe de satisfaction ou de soulagement.

Ecarter les ailes : l'oiseau écarte légèrement les ailes, quand il veut impressionner la femelle ou un rival. Mais si en même temps il s'allonge exagérément et mord dans le vide, il souffre ou a une peur atroce.

Activités caractéristiques

Soins de la tête : une perruche ondulée ne peut pas entretenir les plumes de sa tête. Si elle n'a pas de compagnon pour lui rendre ce service, elle doit se servir de ses ongles pour se gratter et se nettoyer la tête. Pour cela elle ne lève pas tout simplement la patte jusqu'à la tête, mais la passe d'abord sous son aile ce qui semble un peu maladroit et drôle. Les ornithologues accordent une certaine importance à cette particularité parce qu'elle donne des indications sur l'évolution et l'appartenance des espèces. La perruche ondulée nettoie également sa tête en la frottant vigoureusement contre le grillage de la cage ou contre une branche.

Battre des ailes : les jeunes oiseaux, bien accrochés à leur perchoir, volettent violemment pour entraîner leurs muscles. Les perruches ondulées adultes qui n'ont pas eu depuis longtemps la possibilité de voler font de même. Lors de la mue

on peut également observer ce phénomène quand l'oiseau ne peut plus voler à cause de la perte des plumes, mais en ressent vivement le besoin. Permettez le plus rapidement possible aux oiseaux qui volettent dans leur cage, de voler librement à moins que vous sachiez exactement qu'ils en sont incapables pour quelque raison que se soit.

Bâillement : tous les oiseaux bâillent, les perruches ondulées en font de même en ouvrant grand leur bec. Si votre oiseau bâille souvent, aérez la pièce fréquemment. Un oiseau est beaucoup plus sensible que nous au manque d'air frais. Bâiller est contagieux, même chez les perruches ondulées. Quand l'une d'entre elles commence, tout le groupe dans la volière s'y met. Transmettre ses humeurs est un comportement typique des perruches ondulées. Si un oiseau commence à se nettoyer, il est bientôt imité par son compagnon. Il en va de même pour la nidification, le sommeil ou l'alimentation.

Eternuement : parfois l'oiseau émet un bruit ressemblant à un éternuement. Il nettoie ses narines.

Secouer le plumage : la perruche ondulée termine le nettoyage de son plumage en se secouant. Elle détache les plus petites particules de poussière avec son bec et les élimine en se secouant. Vous pouvez

Des ondulées pendant l'accouplement. Les pupilles se rétrécissent et forment un petit point noir au milieu de l'iris clair.

observer un geste similaire à chaque fois que l'oiseau change d'activités. S'il s'est reposé et veut maintenant aller boire, il se secoue avant de se déplacer. Il se débarrasse de cette façon également des tensions psychiques. S'il a été effrayé, il se secoue une fois le danger passé.

Se faire le bec : après avoir mangé, l'oiseau frotte son bec contre le perchoir pour le nettoyer et l'entretenir. Il est extrêmement important de mettre des branches naturelles à sa disposition.

Entretien de la queue : la perruche ondulée semble y tenir particulièrement. La queue est très souvent nettoyée, lissée et graissée et jamais l'oiseau ne permettrait à un compagnon d'y toucher. La queue semble avoir une sensibilité toute particulière qui indique à l'oiseau :

Une perruche ondulée s'étire lorsqu'elle se réveille ou est assise longtemps immobile, en tendant une patte et une aile en arrière.

être touché par un objet - c'est inévitable ; être touché par quelqu'un - c'est absolument intolérable. Une indication importante pour ceux qui désirent gagner ou ne pas perdre la confiance de leur oiseau. Pendant la pariade la queue joue également un rôle important. Le mâle essaie de marcher sur celle de la femelle qui l'esquive adroitement, mais sans agressivité.

Cri d'alerte et piaillement : le piaillement fort et persistant de la perruche ondulée est bien connu. Néanmoins il ne semble pas exister chez les perruches sauvages et on ne peut pas en donner une explication plausible.

Personnellement, je n'ai jamais entendu mes perruches criailler de cette façon. Par contre je les ai entendues pousser leur cri d'alerte strident suivi d'un envol éclair sans pour autant m'apercevoir d'un quelconque danger. Ceci démontre que les perruches ondulées élevées depuis des générations n'ont pas "oublié" leur comportement naturel.

Aptitudes caractéristiques

Vue : comme tous les oiseaux actifs dans la journée les perruches ondulées voient l'univers en couleur. On le comprend aisément sachant que le plumage coloré joue un certain rôle dans la vie des oiseaux. La position latérale des yeux leur permet d'avoir un champ visuel large, ce qui facilite le repérage des ennemis et la fuite rapide en cas de danger. Leur acuité visuelle est plus petite que la nôtre. En revanche une perruche ondulée peut enregistrer 150 images par seconde tandis que l'œil humain n'en capte que 16 ! La perception rapide de tous les détails est vitale pour un oiseau.

Ouïe : tous les oiseaux ont une ouïe excellente. C'est une évidence quand on sait qu'ils communiquent entre eux à longue distance. Ils doivent avoir l'ouïe extrêmement fine pour capter les moindres fréquences et réagir aux

*Pour se gratter la tête,
une ondulée lève sa patte en la
passant sous son aile.*

diverses manifestations vocales. Ce qui semble être un simple piaillement uniforme à notre oreille, est reconnu par la perruche ondulée comme une gamme de sons bien déterminés. Elle comprend son compagnon et est capable de répéter cette succession de tons sans aucune modification.

Goût : on n'a jamais essayé de savoir si le goût de la perruche ondulée était développé. Mais celui qui observe son oiseau volant quelque chose au cours du repas familial, sait qu'il se jette sur certains aliments dont il raffole et ignore complètement les autres. Je suis convaincue que les perruches ondulées ont des nerfs gustatifs sensibles.

Odorat : je ne suis pas en mesure de dire à quel point ce sens est développé chez les perruches ondulées. Cependant certains spécialistes pensent que les perruches ont le nez aussi fin que nous.

Toucher : sans aucun doute les oiseaux l'emportent sur nous dans ce domaine. Leur sens tactile est hautement développé. Une femelle par exemple sent à travers la plaque incubatrice (petite partie sur le ventre où la peau est à nu et la circulation sanguine intense) les mouvements du poussin dans l'œuf et reconnaît ainsi le moment de l'éclosion. En outre les oiseaux possèdent un sens qui leur permet de percevoir les moindres vibrations et de les interpréter. Il les alerte de l'approche d'ennemis ou de catastrophes naturelles. Comme les perruches ondulées sont très sensibles aux vibrations, veillez à mettre la cage dans un endroit abrité.

Mon conseil : les vibrations d'un réfrigérateur peuvent effrayer terriblement votre oiseau. Ne le posez jamais à cet endroit, pas même pour un bref instant.

Etre embarrassé : au moment où la perruche ondulée veut se lancer à la rencontre d'une personne familière, elle remarque quelque chose de visiblement nouveau chez cette personne. Troublée, elle reste à sa place et commence à se nettoyer. C'est sa façon d'être embarrassée. Ma perruche ondulée Manky jouait volontiers avec de petites billes sur mon bureau. Elle les poursuivait en les poussant ou allait à leur rencontre. Mais si deux billes, au lieu

Si une perruche ondulée est embarrassée, elle commence à se nettoyer ou tire sur sa bague nerveusement. Les spécialistes du comportement des animaux appellent cela une déviation.

Photo ci-contre :
les perruches
sauvages
communiquent
entre elles en
poussant des cris
bien précis et
gardent ainsi le
contact. Elles
donnent l'alerte
en poussant des
cris d'alarme
brefs et stridents.

Je suis là - Où es-tu ?

de venir droit sur elle, arrivaient de côté, elle se sentait un peu mal à l'aise et courait vite manger dans son bol.

Pourquoi sait-elle tout cela ?

En lisant dans les pages suivantes de quelle manière les ondulées sauvages affrontent la vie en Australie, vous comprendrez aisément pour quelle raison la nature leur a donné autant d'aptitudes.

Fiche d'identité de la perruche ondulée

La perruche ondulée appartient à l'ordre des perroquets, exactement au septième sous-ordre, aux perroquets chanteurs, et constitue la famille unique des perruches ondulées. Il n'existe pas de sous-famille.

Nom scientifique : Melopsittacus undulatus (melopsittacus du grec : perroquet chanteur undulatus du latin : ondulation)
Patrie : Australie
Espace vital : Savane, le long des créeks (rivières et ruisseaux australiens) en Australie-Centrale
Couleur originale : vert avec masque jaune et ondulation noire et jaune à l'arrière de la tête, en haut du dos et sur les ailes
Taille : 16 à 18 cm
Longueur de la queue : 8 à 9 cm
Poids : 30 à 40 g
Espérance de vie : 12 à 14 ans
Maturité sexuelle : à l'âge de 3 à 4 mois
Œufs par ponte : 3 à 5
Ponte : à 2 jours d'intervalle
Début d'incubation : après le premier œuf
Durée de l'incubation : 18 jours
Couvaison : 28 à 32 jours

La dure vie nomade

Les conditions de vie des perruches ondulées sont extrêmement dures dans le climat sec et aride de l'Australie centrale. La sécheresse peut sévir pendant des mois, voire même des années. Le matin et le soir la température est de 38°C et peut atteindre 45°C et plus dans la journée. Pendant les heures de forte chaleur, les ondulées se rassemblent par groupes d'environ cinquante oiseaux dans les hautes cimes des eucalyptus le long des créeks. Elles se tiennent particulièrement tranquilles et se fondent grâce à la couleur de leur plumage dans le feuillage des arbres. Ce mode de vie au ralenti pendant la période de sécheresse a un rapport direct avec le besoin en eau de l'organisme. Moins un être s'active, moins il a besoin d'eau. Les perruches ondulées cherchent leur nourriture le matin de bonne heure et le soir. Pendant la nuit la température baisse rapidement pour chuter jusqu'en dessous de 0°C après minuit. Grâce à ces nuits fraîches, les oiseaux bénéficient de la rosée du matin accrochée aux herbes et remplaçant l'eau devenue rare. Au moment des précipitations, les ondulées boivent régulièrement toutes les trois heures tandis que d'autres espèces de perruches ne boivent que le matin et le soir. Pendant la sécheresse les herbes et les plantes jaunissent, les graines manquent et les perruches ondulées sont obligées de se déplacer vers d'autres régions pour chercher leur nourriture.

Les déserts australiens s'étendant sur des milliers de kilomètres, les oiseaux doivent parcourir souvent plusieurs centaines de kilomètres avant de trouver une région qui offre suffisamment de nourriture. Ces vols

Les perruches sauvages volent en décrivant de légères courbes au-dessus des cimes pour faire de courts trajets, par exemple en cherchant la nourriture ou de l'eau. Un long trajet est effectué en vol rapide.

sont entrepris en bandes. Les oiseaux volent rapidement et maintiennent le contact entre eux en poussant des cris bien caractéristiques.

Un couple de perruches ondulées dure toute une vie jusqu'à la mort de l'un des deux oiseaux. La décision de former un couple dépend uniquement de la femelle.

Malentendus
La première erreur est commise par les propriétaires et les éleveurs qui gardent toute l'année leurs perruches ondulées dans des volières extérieures sans abri chauffé croyant que les oiseaux sont habitués au froid à cause de leur origine australienne. En effet les perruches ondulées supportent le froid européen, mais l'excellent professeur Michaelis a pris position à ce sujet à peu près en ces

Lors d'une dispute, les mâles se menacent le bec grand ouvert et se donnent des coups de pattes.

termes : il est vrai que les perruches ondulées survivent aux hivers rigoureux dans une volière extérieure ; cependant elles ne vivent pas vraiment, elles ne font que végéter. En Australie la température ne descend en dessous de 0°C que quelques heures par nuit et non des semaines entières.
Un deuxième malentendu est né du peu de besoin d'eau des ondulées. Il est vrai qu'elles boivent plus souvent que les autres perruches, mais toujours très peu à la fois. Des expériences ont montré qu'une perruche ondulée pouvait vivre pendant 28 jours sans boire en étant dans un environnement à une température de 30°C et avec un taux d'humidité de 30 %. Le professeur Immelmann dit à ce sujet que malgré leur aptitude à se passer d'eau pendant une période assez longue qui correspond sans aucun doute à une adaptation à une "nécessité", les ondulées préfèrent séjourner près des points d'eau !
Il est faux que les ondulées apprécient le froid prolongé et n'ont pas besoin de boire.
il est vrai que les ondulées apprécient la chaleur, qu'elles sont inactives pendant les fortes chaleurs et qu'elles supportent les degrés en dessous de 0° grâce à leur plumage pendant un bref laps de temps. Elles sont actives et pleines de vie à une température d'environ 20°C et il est vrai qu'une ondulée boit peu mais souvent et qu'elle adore prendre un bain.

Il pleut : les ondulées couvent
Une toute nouvelle vie commence quand les ondulées sauvages atteignent une région où il pleut. La pluie apporte de l'eau et un peu de fraîcheur. Les herbes poussent et

portent peu de temps après les graines mi-mûres indispensables pour nourrir les oisillons. La période de la pariade commence immédiatement et les femelles se mettent à la recherche d'un nid. Elles choisissent des branches creuses dans la cime des eucalyptus, agrandissent le fond du nid et façonnent l'ouverture avec le bec. Les copeaux servent à tapisser le nid pour accueillir les œufs et les poussins. Même lors de la nidification les ondulées restent réunies en groupes. Plusieurs couples nichent dans le même arbre. La pariade des mâles, l'assiduité des femelles sont contagieuses et entraînent une activité débordante. En peu de jours toutes les places sont prises, les ondulées s'accouplent et pondent les premiers œufs. Les femelles ne se montrent guère et ne quittent le nid que pour satisfaire leurs plus pressants besoins. Pendant l'incubation les mâles nourrissent les femelles qui passent leur tête par l'ouverture du nid. A l'état sauvage l'accès du nid est interdit aux mâles.

L'incubation

Tous les deux jours la femelle pond un œuf, mais commence la couvaison dès le premier œuf pondu. Elle tourne et retourne les œufs régulièrement et les enfonce plus profondément à l'intérieur du nid. Au bout de 18 jours, le poussin annonce son éclosion toute proche en poussant des petits cris à l'intérieur de l'œuf. A l'aide de son bec, renforcé d'une espèce de dent qui disparaît par la suite, il gratte la coquille et finit

Le développement du poussin

1er au 5e jour : le poussin a encore les yeux fermés et est nourri allongé sur le dos.
6e jour : les yeux s'ouvrent.
7e jour : les ailes commencent à pousser.
8e jour : le poussin lève la tête et fait quelques pas.
9e jour : les rectrices commencent à pousser.
12e jour : le poussin a tout son duvet.
I7e jour : le poussin pèse 30 g.
28e jour : les rémiges et les rectrices ont presque atteint leur longueur définitive. L'oisillon peut voler et quitte le nid.
38e jour : le plumage est entièrement développé, un peu moins brillant que celui des parents.
3e au 4e mois : la première mue. Le plumage est identique à celui des parents, et les jeunes sont aptes à se reproduire.

par la percer. Le petit met près de 20 heures à se libérer de la coquille, parfois aidé par sa mère. Les nouveau-nés sont nus et aveugles et se glissent sous le plumage de la mère. La mère leur donne la becquée en commençant toujours par le plus âgé qui prend déjà de la nourriture provenant du jabot tandis que le plus jeune est nourri avec des aliments prédigérés par la mère.

La vie en groupe

Quand les oisillons quittent le nid, le père prend encore soin d'eux pendant environ deux semaines. Ensuite ils sont indépendants et

Même avant la première mue, les oisillons sont capables de suivre le groupe s'il est obligé de prendre son envol pour chercher la nourriture dans des régions plus lointaines.

La femelle défend avec acharnement la ponte et la nichée, si elle est attaquée par des oiseaux.

vivent entre jeunes tandis que les parents, si les conditions alimentaires sont favorables, s'occupent déjà de la nichée suivante.

Première pariade : les jeunes mâles commencent déjà la pariade avant leur première mue. Ils essaient non seulement de séduire les femelles de leur âge, mais également celles qui préparent déjà le nid. Les jeunes femelles se tournent plutôt vers les mâles plus expérimentés. Si une femelle ne veut pas se laisser séduire par un mâle, elle lui donne un coup de bec. En revanche si le mâle lui plaît, elle lui permet de la bécoter, de lui donner la becquée et accepte les caresses du bec.

Les couples pour la vie : une relation de couple entre deux ondulées dure toute une vie. C'est le cas de la plupart des perroquets. Les ondulées n'ont pas de temps à perdre et si le groupe arrive dans une région favorable à la nidification, les couples sont déjà formés et pariade, nidification et incubation se font instantanément.

Muer en vitesse : un séjour sûr et prolongé coïncide toujours avec une couvaison. Les oiseaux en profitent pour renouveler partiellement leur plumage par une mue "douce" et être prêts pour reprendre leur vol.

Ennemis : la perruche ondulée connaît les dangers venant des airs. A l'origine son ennemi était le faucon. Mais elle est une proie facile pour les chats importés, redevenus sauvages, qui attaquent au sol et l'oiseau n'a pas de moyen de défense contre eux. D'autres ennemis sont les oiseaux qui attaquent le nid. Bien que la femelle défende avec acharnement le nid, la ponte et les poussins, elle n'a pas toujours le dessus.

Comment communiquent-elles ?

La perruche ondulée est le plus calme des perroquets australiens. Son répertoire vocal est moins varié que celui de nos oiseaux chanteurs. Comme nous l'avons déjà dit, les ondulées vivent très discrètement pendant la période de sécheresse et un observateur ne les découvre que par hasard. Leur plumage vert se fond complètement dans le feuillage des eucalyptus et elles se reposent tout en haut des cimes. On entend à peine un léger gazouillement. Même quand elles cherchent la nourriture au sol, elles sont silencieuses. De temps en temps s'élève un cri. Pour notre oreille cet appel qui sert à rassembler le groupe, est toujours le même. Pour les ondulées l'appel ne veut pas uniquement dire : "Nous sommes ici. Où es-tu ?", mais il est nuancé et permet d'identifier celui qui l'a lancé. Ces nuances de sons sont très importantes au moment de la nidification lorsqu'il s'agit de respecter les distances, de vivre en groupe sans s'agresser et de protéger l'intimité du couple. Le fait de pouvoir émettre des sons finement nuancés et d'avoir l'ouïe extrêmement sensible, permet aux oiseaux de répéter des mots. Beaucoup de perroquets qui vivent comme les perruches ondulées en relation étroite avec le groupe et forment des couples à vie, utilisent cette aptitude naturelle pour imiter des sons quand ils partagent notre vie.

PETITS PRATIQUES HACHETTE

ecettes 'pleine forme"
ous styles,
tographiées
xpliquées point par
it.
conseils, des variantes
nombre de calories,
des, glucides et protides
né pour chaque recette.
que volume :
p., 165 x 200 mm,
photos couleur,
verture brochée.
F.

Un choix varié de titres
constituant une
encyclopédie illustrée
du jardin. Nombreuses
photos et illustrations.
Chaque volume :
64 p., 165 x 200 mm,
90 photos couleur,
couverture brochée.
34 F.
Directeur de collection :
Patrick Mioulane.

cuisine

CUISINE CRÉOLE

PETITS PRATIQUES HACHETTE

jardinage

BOUTURAGE

COLLECTION DIRIGÉE PAR PATRICK MIOULANE
PETITS PRATIQUES HACHETTE

n comprendre et
n soigner son
mal préféré.
que volume :
p., 165 x 200 mm,
photos couleur
llustrations,
verture brochée.
F.
série sur les races
chiens et de chats
dirigée par le
cteur Pierre
usselet-Blanc.

animaux

TECKELS

BIEN LES
COMPRENDRE
ET BIEN
LES SOIGNER

LES CONSEILS
D'UN EXPERT
POUR VOTRE
ANIMAL FAVORI

COLLECTION DIRIGÉE PAR LE
Dʳ ROUSSELET-BLANC
PETITS PRATIQUES HACHETTE

décoration

COURONNES DE FÊTES

PETITS PRATIQUES HACHETTE

Des idées hautes en
couleurs pour embellir
son cadre de vie.
Chaque volume :
64 p., 165 x 200 mm,
70 photos couleur,
couverture brochée.
34 F.

Hachette, côté pratique

Index

Les numéros de pages en gras indiquent les photos couleur et les illustrations. C = photos couvertures

Adresses et bibliographie

Adresses

Société centrale d'aviculture de France
34, rue de Lille, 75007 Paris
Tél. : 01 42 61 26 44

*Questions concernant la santé des perruches
ondulées :*
S.P.A., Société Protectrice des Animaux
39 Bd Berthier
75017 PARIS
Tél : 01 43 80 40 66
AFIRAC, Association Française d'Information
et de Recherche sur l'Animal de Compagnie
7, rue du pasteur Wagner, 75011 Paris
Tél. : 01 45 29 12 00

Bibliographie

30 millions d'amis - La vie des bêtes
13, rue du Colonnel Pierre-Avia
75754 Paris Cedex 15
Animaux Magazine
Revue officielle de la Société Protectrice des
Animaux
39, Bd Berthier
75017 Paris

Remarques importantes :
Les personnes souffrant d'une allergie aux
plumes ou à la poussière ne devraient pas
avoir d'oiseaux chez eux. En cas de doute
demandez conseil à votre médecin traitant.
La "maladie des perroquets" (psittacose,
ornithose) est aujourd'hui très rare chez les
perruches ondulées (voir page 44).
Cependant il s'agit d'une maladie grave,
contagieuse pour les hommes. Consultez
votre vétérinaire en cas de doute (voir
pages 44/45) et rendez-vous chez
votre médecin traitant en cas de rhume
ou de grippe en signalant la cohabitation
avec une perruche ondulée.

Crédits photographiques :
Bielfeld : 8/2-3, 9/7 ; Effem (Ges.F.
europ. Kommunikation) : 2e de
couverture, 13 ; Pforr : 17 milieu ;
Reinhard : 12 ; Scholtz : 8/1 et 4, 9/5 et
6 ; Schweiger : 53 ; Skogstad : 1e, 3e, 4e
de couverture, 5, 16, 20, 21, 25, 28, 32,
33, 36, 37, 40, 41, 45, 48, 49, 56 ;
Wothe : 17 en haut.

L'édition originale de cet ouvrage a été
publiée sous l'intitulé *Wellensittiche,
richtig pflegen und verstehen* par Gräfe
und Unzer GmbH, München.

Traduction : Christa Parker.
Secrétariat d'édition, composition et
maquette : Societé Les Cours, Caen.
Dépôt légal : 9970-02-1997
N° éditeur : 24592
ISBN : 2.0101.7400.3
62-65-0461-4/04
Impression : Canale à Turin, Italie.